CONVERSANDO COM PAREDES

Alexandre F. Azevedo

Editora Labrador

Copyright © 2021 de Alexandre F. Azevedo
Todos os direitos desta edição reservados à Editora Labrador.

Coordenação editorial
Pamela Oliveira

Assistência editorial
Larissa Robbi Ribeiro

Projeto gráfico e diagramação
Amanda Chagas

Capa
Greco Design

Preparação de texto
Marília Courbassier Paris

Revisão
Daniela Georgeto

Imagem de capa
Shutterstock

Dados Internacionais de Catalogação na Publicação (CIP)
Jéssica de Oliveira Molinari - CRB-8/9852

Azevedo, Alexandre F.
    Conversando com paredes / Alexandre F. Azevedo. — São Paulo : Labrador, 2021.
    128 p.

ISBN 978-65-5625-165-3

1. Contos brasileiros 2. Pandemia – COVID-19 (Doença) I. Título

21-3173   CDD B869.3

Índice para catálogo sistemático:
1. Contos brasileiros

EDITORA Labrador

Editora Labrador
Diretor editorial: Daniel Pinsky
Rua Dr. José Elias, 520 — Alto da Lapa
05083-030 — São Paulo/SP
+55 (11) 3641-7446
contato@editoralabrador.com.br
www.editoralabrador.com.br
facebook.com/editoralabrador
instagram.com/editoralabrador

A reprodução de qualquer parte desta obra é ilegal e configura uma apropriação indevida dos direitos intelectuais e patrimoniais do autor. A Editora não é responsável pelo conteúdo deste livro. Esta é uma obra de ficção. Qualquer semelhança com nomes, pessoas, fatos ou situações da vida real será mera coincidência.

*Para Helena,
Rafa e Francisco,
sempre.*

SUMÁRIO

O primeiro dia (ou A sanha do cronista iniciante) — 7
Detalhes — 9
Fique em casa — 11
Desejo de matar — 14
Perdendo os dentes — 16
Fala, galera! — 18
Fase I — 21
Epifanias — 23
E vai rolar a festa! — 25
Só verdades — 28
Os replicantes — 30
Desvio de função — 33
A vacina — 35
That's Aldir — 37
Tente outra vez — 39
Dia da mãe — 41
Vergonha! — 43
Live — 45
Sob o signo da libra — 47
Serviços essenciais — 49
Avoa, Antônio! — 51
Cores vivas… — 53
Videoconferência — 55
Escolhas — 58

Os sobressalentes — 60
Entrevista de emprego — 62
O inquilino e o entregador — 65
O novo normal — 69
O auto do compadecido — 72
A pergunta — 79
Falso profeta — 81
Conversando com paredes — 83
Os sonhadores — 86
O inverno do Leblon — 88
Crônica de protesto — 92
Lugar de fala — 95
Curriculum vitae — 97
Delírio tropical — 99
As lives da Teresa Cristina — 103
As outras doenças da pandemia — 106
A parte pelo todo — 109
Dia dos Pais — 111
Que fase! — 114
Nenhuma pátria me pariu — 117
A importância de ser Ernesto — 119
A natureza das coisas — 121
Hospital de campanha — 123

O PRIMEIRO DIA
(OU A SANHA DO CRONISTA INICIANTE)

O primeiro dia já vai longe. Quando foi? Estou tão atrasado em meus devaneios (extemporaneidade e palavras difíceis são características do cronista de pouca prática) que a questão da moda não é mais quando, é onde. Um onde exatamente como esse aí atrás, sem ponto de interrogação. As pessoas, atordoadas, fazem perguntas sem pontos de interrogação. Onde. China, Cazaquistão... Pouco importa. Escolha sua resposta e se apegue a ela; pra quem está se afogando, até garrafa PET serve.

Volto ao primeiro dia. Interrogação. Faço aquele gesto do comentarista esportivo da televisão. Qual era mesmo seu nome, interrogação. Quanto tempo isso vai durar, interrogação. Será que vai acontecer com alguém que conheço, interrogação. Será que vai acontecer comigo, interrogação. Olho meu rosto no espelho, dou um beijo desconfiado em minha esposa, meus filhos me abraçam, interrogação. Quem era o comentarista, interrogação.

Já fiz mais perguntas nestes dias do que em toda minha vida escolar; só que agora sem os amigos do fundo da sala, sem rabiscos eróticos no caderno, sem hora do recreio e sem respostas. Talvez seja este o problema do ponto de interrogação: ele não encerra o assunto; e tudo que mais queremos agora é colocar um ponto-final nesta história — mas o cronista iniciante não sabe a hora de parar, então ele segue falando sobre um dia que, de tão chato, nem deveria ter começado.

O que pode haver de interessante na vida de um brasileiro médio que passa o tempo se revezando entre as telas da tevê e do celular, interrogação. Lembro-me de uma música em que o sujeito cantava sobre o norte-americano típico: gordo, careca, armado e raivoso — me sinto tão sem graça quanto.

Qual era o nome dele, interrogação.

Penso nas pessoas que habitam minhas redes sociais. Lá tem amigos, parentes, gente que conheço mal, gente que mal conheço; há inclusive alguns que definitivamente não conheço. Todos tentando se apegar a algo. Precisamos chegar ao dia seguinte. Só mais um dia. Nos tornamos confinados anônimos sofrendo da abstinência de rotina. Ela podia ser estressante, enfadonha, em alguns casos miserável, mas era nossa. Quem a natureza pensa que é, interrogação.

Mas a rotina persevera. Ela se transforma, se adapta. Com seu jeito sorrateiro, infiltra as paredes do novo normal, desenha suas manchas de bolor e decreta: toda e qualquer novidade é, sim, perecível. Logo uma nova ordem se impõe, tão maçante quanto a anterior. Os dias se repetem, as discussões se repetem...

Roberto Avalone, exclamação. Esse era o nome do comentarista. Dá uma aflição quando não conseguimos nos lembrar de algo que está aqui ó, na ponta da língua. Com a sensação de dever cumprido, os dentes devidamente escovados e a cabeça (agora) somente no travesseiro, apago a luz do quarto e posso dormir o sono tranquilo dos cronistas, ponto.

DETALHES

O Diabo mora nos detalhes, ou morava. Que triste fim tiveram o Coisa Ruim, o Cramunhão, o Capiroto, o Belzebu, o Satanás, o Bode-Preto, o Temba, o Tisnado, o Lúcifer, o Capeta e tantos outros que emprestavam seu nome ao inominável. Quem poderia imaginar que eles seriam enxotados de suas casas e despejados na rua da amargura pra comerem o pão que eles mesmos amassaram? O fato é que as redes sociais, em poucos anos, conseguiram acabar com esse Ser que nos atormentava há milênios; e a solução foi tão simples quanto genial: destruir seu habitat.

Como o pobre Diabo conseguiria construir seu lar entre "o zero e o um" do mundo digital? Como estabelecer sua morada no espaço virtual que sobra entre o certo e o errado? Verdade e mentira se debatem de maneira tão feroz que não restaram mais bytes no campo de batalha; elas avançaram as últimas trincheiras e agora estão tão próximas que, à distância, já não se pode distinguir quem é quem. Não sobrou nem espaço pro Endemoniado esticar a mão no meio e provocar, "cospe aqui".

Não há tempo para hesitação no universo on-line. Bobeou, dançou; é Xuxa ou Angélica, Sandy ou Júnior, Metrô ou Rádio Táxi, Elke Maravilha ou Pedro de Lara, tem de responder na lata. Quem tenta colocar o Sérgio Malandro no meio leva pedrada: "Qual é? Não tem coragem de se posicionar, não?"; "Vem com esse papinho de Sérgio Malandro agora?". O muro caiu e quem ficava lá em cima, fosse por opção ou pela falta dela, está tomando sopapo de tudo que é lado.

É chegada a hora da reação. Isentões, uni-vos! Precisamos mudar essa alcunha; se o "Capiroto" tem vários apelidos, por que nós, os comedidos, não podemos ter? Posso sugerir aqui alguns nomes, mais sonoros, que nos farão respeitados em qualquer debate. Podemos nos apresentar como: "Os terroristas da sensatez", ou "Os moscas-

-mortas macabros" — (talvez o meu preferido). Já consigo enxergar o terror nos olhos dos dicotômicos.

Precisamos ocupar nosso espaço. Chega de dividirmos o mundo entre marxistas que nunca leram uma linha de Marx e antimarxistas que não sabem se o primeiro nome do sujeito era John, George, Paul ou Ringo! Chega desse pão com pão, vamos enfiar nosso queijo no meio. A chapa agora vai esquentar! Vamos invadir suas redes e fazer de suas vidas um inferno!

É bem como disse o Riobaldo: "O que não é Deus, é estado do demônio. Deus existe mesmo quando não há. Mas o demônio não precisa de existir para haver — a gente sabendo que ele não existe, aí é que ele toma conta de tudo".

FIQUE EM CASA

— **A**lexandre... (Longa pausa dramática.) Com 87% dos votos, foi você o escolhido. Seu tempo na casa chegou ao fim. Vem viver sua vida aqui fora!

— Ei, espera aí. Assim, de supetão?

— Como "de supetão"? Já é seu quinto paredão e sua mala inclusive está pronta aí do seu lado.

— Mas eu achei que era só jogo de cena, pra manter a audiência ligada até o final.

— Não, infelizmente não é jogo de cena. Vem! Sua família te espera.

— Você só pode estar maluco. Meus pais já têm mais de 70 anos, não posso ter contato próximo com eles não.

— Olha, eu sei que é difícil se desfazer desse sonho, mas chegou a hora de você encarar a realidade aqui fora. Tem muita coisa boa te esperando!

— Tipo o quê?

— Você agora é uma celebridade. Não vai mais conseguir andar na rua sem ser assediado, pessoas querendo uma selfie pra postar no Instagram, esse tipo de coisa...

— Como assim? Assédio, selfie? Na cartilha que vocês nos mandaram estava escrito em caixa-alta: EVITAR O CONTATO PESSOAL!

— Olha, realmente aconteceu esse probleminha...

— Probleminha? Também estava escrito que não era pra acreditar de modo algum em quem dissesse que era apenas um "probleminha". Não estou entendendo mais nada, achei que eu entraria nessa casa e sairia com a minha situação resolvida, mas pelo visto me dei mal.

— Alexandre, eu sei que você está preocupado e não tiro sua razão. Estamos em um momento difícil, mas que passará, como tudo na vida. Veja pelo lado bom, agora você é uma pessoa pública e pode ajudar a conscientizar a população.

— Mas quem irá me reconhecer, se sou obrigado a sair de máscara?

— Você pode fazer lives dentro da sua casa mostrando como pode ser boa a vida no confinamento, afinal você já tem experiência no assunto.

— Uma coisa é me divertir numa casona dessa, com festa toda semana, bebida e comida à vontade, tempo livre, gente bonita, piscina, academia e o escambau; outra é ficar preso naquele meu quarto e sala, com vista pra parede do outro prédio e uma internet que cai o tempo inteiro.

— Infelizmente, não podemos nos responsabilizar por tudo que acontece após o programa. Cada um tem que achar um jeito de se inserir no mundo aqui fora. O próprio Rubinho, que saiu no último paredão, tá fazendo um sucesso danado confeccionando máscaras com rostos de ex-BBBs. Se a pessoa quiser sair sem ser notada, é só escolher a cara de alguém que participou dos programas mais antigos que é batata.

— Quer dizer que eu posso usar uma máscara com meu próprio rosto impresso?

— Claro, tem gosto pra tudo. Vem, o Brasil te espera!

— Bom, pelo menos ainda posso fazer presença em festas.

— Não existem mais festas.

— Como assim?

— Acho que falei besteira — murmurando baixinho.

— O quê?

— É isso mesmo, as festas foram proibidas.

— Como vou me sustentar sem fazer presença em festas? Torrei todo o meu dinheiro pra clarear os dentes e fazer uma abdominoplastia. Não sobrou mais nada.

— Você tem smartphone?

— Tenho.

— Então... Você pode baixar um aplicativo que vai te dar direito a receber uma ajuda do governo.
— Que bom... Quer dizer que não vou passar aperto? De quanto é esse auxílio?
— Seiscentos reais.
— Seiscentos reais?
— Isso.
— ... Tá, mas e a Solange? Ainda está me esperando aí fora?
— Bom... Você sabe que ela saiu logo na terceira semana... Olha, eu não vou te enrolar não, ela está morando com o Rubinho.
— Mas o Rubinho saiu daqui semana passada jurando que ia voltar pra Ju.
— Ju?
— Ju, a que saiu na primeira semana.
— Ah, lembrei. Aquela lourinha, né?
— A própria.
— É tanta gente que fica difícil lembrar. Pois é, ela ficou com medo da pandemia aqui no Brasil e viajou pra longe.
— Foi pra onde?
— Nova York.
— Sorte a dela, hein?
— Vamos mudar de assunto? Tenho certeza de que você fará muito sucesso quando sair da casa. Inclusive, existe a chance de você ser recebido pelo presidente da república! Tá cheio de gente querendo saber sua opinião sobre a cloroquina.
— Cloro o quê?
— Esquece. Vem, Alexandre, vem brilhar aqui fora!

DESEJO DE MATAR

Não gosto de assistir a filmes na televisão. Alguns dizem que sou turrão; outros, taurino. O fato é que não consigo me desvencilhar da sensação de que filmes devem ser vistos no cinema, salvo raras exceções, as quais, de maneira inversamente proporcional, necessitam de um aparelho de tevê, de preferência com tela pequena e sinal analógico.

Como nem todos aqui em casa têm esse apego pelo vintage, me surpreendo — no final da manhã de um dia qualquer — zapeando o controle remoto de uma tevê com funções que nunca saberei para que servem.

É bem verdade que tentei resistir, mas, após vinte minutos me espreguiçando, seis minutos arrumando a cama, meia hora tomando o café, quarenta segundos pensando na lâmpada que precisava ser trocada e mais um sem-fim de outras atividades, finalmente, em um momento de distração, o tédio me acertou em cheio.

Ainda meio grogue com a pancada, peguei o controle e fui procurar algum filme em um dos oitocentos canais disponíveis. Passei por um canal rural, outro de notícias, alguns que ensinavam receitas; parei rapidamente para assistir a um programa de reformas. Continuei minha peregrinação espiando animais selvagens, viagens exóticas, canais eróticos e realities com pessoas famosas que não conheço.

Quando meus dedos começavam a mostrar os primeiros sinais de gangrena, surgem os filmes: vejo um monstro destruindo uma cidade que parecia Tóquio, com atores que pareciam americanos, gritando num idioma que parecia português e correndo desesperados para todos os lados — parecendo humanos. Troquei de canal. Não porque tenho restrições a esse tipo de filme, até aprecio, mas é que ele pertencia àquele grupo dos que devem ser vistos no cinema.

Nada satisfazia. Vieram comédias românticas, mas sem a Goldie Hawn; cenas de perseguições policiais e nem sinal do Eddie Murphy.

Cadê o crocodilo Dundee? Cadê os filmes com crianças e cavalos, crianças e cachorros, crianças e golfinhos que habitavam a Sessão da Tarde? Onde estão as películas que pareciam feitas sob medida para os televisores valvulados com telas arredondadas?

Algumas horas depois, vencido, tomei a decisão de comprar — em um desses sites de produtos usados — uma linda e pesada tevê retrô, na qual certamente, ao girar o botão dos canais, encontrarei o inconfundível bigode, a surrada jaqueta de couro e a expressão imóvel do inesquecível Charles Bronson. E ele me trará a doce lembrança da época em que acreditava que o absurdo só acontecia em filmes.

PERDENDO OS DENTES

As crianças estão bem, obrigado. Pelo menos é o que imagino. Elas acordam e chamam por nós, minha esposa e eu. Ela vai; eu não. Tento dormir mais um pouco e não consigo. Ouço o barulho das colheres nas xícaras, a conversa abafada "para não acordar o papai" e tenho a certeza de que está tudo bem.

Imagino o Parque Guanabara lotado, com filas intermináveis num calor infernal; penso na festa do amiguinho de sala bem na hora do jogo do Brasileirão; relembro o trânsito na volta da escola... Sinto um certo conforto, mas o sono não vem e me levanto. Quando chego à sala, os garotos já foram abduzidos por algum universo onde pessoas voam, soltam mísseis e têm visão de raio X. Mesmo com tantos poderes, mal conseguem notar o beijo que dou em suas testas. Penso em como deve ser triste ser filho único. Em seguida um dos meninos acerta uma vassoura na cabeça do outro, que sai chorando; penso em como deve ser bom ser filho único.

Alguns minutos depois, lá estão eles, rindo, de um jeito que os adultos não conseguem mais, do desenho animado que passa na tevê. Logo desistem do desenho e vão jogar videogame, fazendo barulhos com a boca, retorcendo-se no sofá e comentando sobre as idiossincrasias de cada fase do jogo, sem ao menos desconfiar do significado da palavra idiossincrasia. Os adultos sabem. Coitados dos adultos; sabem tantas coisas que de nada servem.

As crianças reclamam também. É chegada a hora de tomar banho, fazer o dever de casa, almoçar. Depois do almoço tem a aula on-line. A vida não é fácil. Eles aprendem isso cedo. É bonitinho e deprimente vê-los sentados em frente ao computador, tentando entender o que sua professora também está tentando entender, pois ninguém está entendendo nada. Alguns adultos fingem que estão. Coitados de alguns adultos.

"Mas tudo passa, tudo paaaaassará", como na música que meu pai escutava antes de passar desta para uma melhor; e a aula acaba. Se dissermos "tudo passa" para um adulto, ele logo pensará na vida voltando ao normal, nos bares lotados, no dinheiro circulando. Mas estou falando das crianças. Elas não querem saber o que vai acontecer amanhã. Elas ficam satisfeitas quando a aula acaba, ponto. E voltam a correr pela casa, pular em cima do sofá, abrir a geladeira pra comer gelatina, limpar a mão de gelatina na roupa de cama. Idiossincrasias da infância. Os adultos sabem bem o que é isso, mas ainda assim se irritam; é inevitável. As crianças não sabem o que é inevitável; os adultos, sim. Infelizes.

Meu filho mais novo chega correndo com algo nas mãos; o mais velho vem logo atrás. O entusiasmo de ambos é visível. A criança é uma novidade fantasiada de gente. O caçula estica os braços, me entrega seu incisivo inferior e em seguida mostra o sorriso banguela. Que tipo de pessoa se alegra com um dente perdido? As pequenas, respondo. Os adultos não sabem perder os dentes. Os adultos não sabem perder. Miseráveis.

À noitinha, exaustos, os dois vestem seus pijamas, escovam seus dentes (os que restaram), se empoleiram em nossa cama e, em questão de minutos, voltam a sonhar com toda a força. Exatamente como fizeram o dia inteiro.

Enquanto eles dormem, penso nos tolos que dizem: "As crianças são o futuro do país". Como se elas não fossem acordar um dia, adultas, cheias de saberes, fartas dos sabores, morrendo de medo de perder seus dentes.

FALA, GALERA!

Fala, galera, meu nome é Alexandre! Não, não ficou bom. Faaaala, galeeera, meu nome é Alexandre! Agora que estou com tempo de sobra, decidi abrir meu canal aqui no YouTube. E como não sei muito a respeito de nada, resolvi falar um pouco de tudo. Chego com uma proposta diferente. Quero dar a vocês notícias sobre saúde, dicas de beleza, investimentos, viagens, decoração, enfim, tudo que possa agregar valor à sua quarentena.

— Meu bem, deve ter uns quarenta mil youtubers fazendo a mesma coisa neste momento — disse minha esposa, que também havia perdido o emprego e agora acumulava as funções de câmera e diretora de vídeo.

— Ok! Vou misturar tudo isso com dicas de literatura, o que você acha? Podemos fazer um paralelo entre esta epidemia e aquela do Saramago, no *Ensaio sobre a cegueira*.

— Se as pessoas gostassem de ler, não existiriam tantos youtubers. Por que você não mistura suas dicas com algo sobre música? Acho que tem mais apelo. E não se acanhe em falar sobre qualquer obviedade. O importante é ser compreendido. Vamos lá, pode retomar do ponto em que você parou.

Então é isso, pessoal... Pra começar, gostaria de reforçar a importância do distanciamento. Estive pensando sobre aquela música da carreira solo do Lennon: "Nós vivemos com medo das pessoas; com medo do sol; em isolamento". Dá pra perceber que não mudou muita coisa desde quando ele escreveu essa canção...

— Não filosofe demais, seja objetivo. As pessoas precisam de ideias claras — disse a diretora.

Quero deixar registrada minha sugestão e desconfio que ela agradará tanto ao ministro da saúde quanto ao da economia. Enquanto uns falam dos benefícios do distanciamento vertical e outros não se cansam de propagar a importância do isolamento horizontal, eu defendo que deveríamos usar os dois. Podemos revezá-los por dias da semana, como se faz com as placas de carro. A economia cresceria às segundas, quartas e sextas, enquanto as vidas seriam preservadas às terças, quintas e sábados. O domingo pode ser livre, para quem quiser ir à praia ou à missa. A questão financeira é algo que também não pode ficar de fora do nosso "pandepapo".

— "Pandepapo" ficou demais! Continua, continua!

Como disse Bob Dylan: "O dinheiro não fala, o dinheiro blasfema". Portanto, vamos lavar as mãos, escovar os dentes, passar álcool em gel nos cabelos e trabalhar. Troque o pijama, nem que seja por outro. É recomendável um modelo mais formal durante o dia, nada de pijamas de calças curtas. Manter a etiqueta é fundamental. Precisamos ser criativos, trilhar novos caminhos, encarar novos desafios. Estou aqui pra mostrar que é possível. Se a vida te deu um limão, faça uma live! Não adianta ficar reclamando, devemos ser gratos...

— Não viaje demais, mantenha o foco!

Não deixem de pagar suas contas no dia certo, os dias são todos iguais, mas haverá um em que elas vencem. Tentem reconhecê-lo. As multas não farão quarentena, estejam certos disso. Façam como o Van Morrison e paguem o preço.

— Van Morrison?! Se ainda fosse o Jim, mas o Van? Quem o conhece? Meia dúzia de gatos-pingados, se tanto.

— Mas foi você quem pediu pra falar sobre música. Essa canção é linda, e o disco, genial! "It's too late to stop now".

— Nunca é tarde pra deixar de ser prolixo. Fale o que as pessoas querem ouvir e use referências mais populares. Continue...

Existem ainda aqueles que não querem dinheiro, só querem amar. Para esses, também tenho minhas dicas: respeitem o distanciamento e amem a si próprios. Precisamos nos conhecer melhor, exercitar a autorreflexão. Além do mais, com todo o estresse que está rolando, existe o risco de acontecer um lockdown e na hora H a curva não subir como o esperado. Um constrangimento desnecessário pra quem já está cheio de problemas.

— Ótimo! Mas seja ainda mais claro. Seja pop!

Para terminar nosso vídeo, lembrem-se: fiquem em casa, se puderem; lavem as mãos frequentemente; deixem os sapatos na porta e não se esqueçam do álcool em gel depois do like. Manter a higiene é fundamental, por isso peço emprestado aquele famoso verso do Grupo Molejo pra encerrar o "pandepapo" de hoje: "Diga aonde você vai, que eu vou varrendo".

— Corta! Perfeito!

FASE I

"É que nem videogame", foi o que disse meu filho, após ouvir uma interminável explicação de mais um dos intermináveis especialistas que pululam na televisão ultimamente. O expert falava sobre a importância de algumas medidas para que a primeira fase da pandemia fosse superada, quando um menino de seis anos — enquanto brincava de apertar botões em bonecos — sintetizou o problema. Desliguei a tevê no ato. Talvez a ligue novamente quando criarem um programa em que os debatedores tenham entre seis e doze anos de idade.

Não tenho nada contra os profissionais que participam desses telejornais, mas penso que eles deveriam pedir conselhos aos seus filhos antes de se meterem a explicar algo tão complexo.

Talvez o foro ideal para esse tipo de discussão fosse o Programa da Xuxa. Imagino uma família dando seu depoimento à loira, tentando explicar do modo dele o que está acontecendo:

— No princípio era o verbo... E foi só depois de muita conversa que concordamos em encomendar um videogame para distrair nossos dias de reclusão — disse o patriarca da família, tentando se mostrar culto.

— Houve uma certa demora, parecia até que ele estava vindo da China ou de algum lugar daquela região. Comecei a desconfiar de que não chegaria nunca; até que um dia ele apareceu. Novinho em folha! — falou a mãe. — Demorou um pouco até nos acostumarmos com a mudança na rotina. Mas, quando vimos, ele já era o assunto da casa.

— Foi irado! — o filho mais velho interrompe. — Ele ocupava todo nosso tempo. Quando a coisa ficava difícil, meu pai corria para a internet e pesquisava o que fazer. Tá cheio de influencer dando opinião sobre isso.

— Mas não foram só flores — disse a mãe, com uma expressão mais séria. — Com o envolvimento, vieram também as discussões. Eu e meu marido tentamos impor uma organização vertical, dando preferência aos mais velhos (que em nossa opinião deveriam ser privilegiados). Somos nós que saímos para trabalhar e não podemos ficar esperando.

— De jeito nenhum! — era a vez do mais novo dar seu pitaco. — Todo mundo tem direito igual. A gente também tem que participar. Ninguém tem culpa se eles precisam sair. Fica em casa, ué!

— O distanciamento também foi algo inevitável — a mãe continuou. — Sem que percebêssemos, já não nos cumprimentávamos como de costume. Nossas conversas eram rápidas e os abraços, evitados; nossas mãos só apertavam os botões do console, nada mais. Fazíamos as refeições separadamente e também paramos de passear. Só saíamos em caso de extrema necessidade, como ir ao supermercado, à farmácia ou a lojas de games.

— Foi mesmo — concordou o pai. — Ficamos completamente imersos nessa nova rotina, uma espécie de universo paralelo. Pequenas coisas, que antes não tinham importância, tomaram uma dimensão gigantesca; já outras, às quais nos agarrávamos com unhas e dentes, simplesmente se dispersaram no ar como as gotículas dos espirros.

A imagem volta para a Xuxa, que está visivelmente emocionada. Marlene Mattos, a diretora do programa (sempre atenta), faz um sinal com as mãos. A família, bem ensaiada, se levanta, e em uníssono — com o filho mais novo tentando acompanhar de maneira atrapalhada —, conclui:

— De um modo estranho e bonito, o que hoje nos distancia é também o que nos une em um objetivo comum: chegarmos juntos à próxima fase.

EPIFANIAS

"Uhuuuu!". Não, isso não foi um grito, foi um pensamento. Tenho noção do ridículo e sei que esses berros caem bem na academia — durante a aula de *spinning* —, e não pela manhã, no banheiro, enquanto escovo meus dentes. E qual o sentido do urro imaginário? Nenhum. As coisas não precisam de um sentido pra existirem, elas aparecem de qualquer jeito: ressabiadas, ensimesmadas, quase pedindo desculpas; não tem problema, logo a gente arruma um significado pra elas.

Minha ideia não teve nada de mais, não foi fruto da minha genialidade — que ainda espera o momento certo pra aparecer. Na verdade, ela surgiu ontem de noitinha, quando me dei conta de que estava extenuado, sem energia pra fazer um leite com Toddy, apesar de ter passado o dia dentro de casa. É fato que gastei energia arrumando a cama e lavando pratos, mas nada que justificasse aquela sensação de ter acabado de construir a Pirâmide de Quéfren. Foi assim que a analogia entre o confinamento e a academia me surgiu, súbita como uma mensagem de WhatsApp.

Iniciei meu experimento logo cedo, quando ainda me espreguiçava na cama, ressentindo o cansaço do dia anterior. "Uhuuuu!", soltei meu grito imaginário tomando cuidado pra que ninguém em casa percebesse. Estava convencido de que aquilo me daria um gás e ajudaria a vencer as tarefas daquele dia. Se fosse inútil, não seria ouvido em todas as academias do mundo; saindo da boca dos que investem seu tempo correndo em esteiras, levantando pesos, pulando corda... O tal do "Uhuuuu!" é uma espécie de tônico sonoro universal, usado por atletas em Manhattan ou em Manhuaçu.

Ele é o *doping* falando esperanto.

Resolvi utilizar a mesma técnica, só que em silêncio. Não sei o que meus filhos poderiam pensar ao me ouvir berrando um sonoro

"Uhuuuu!" enquanto me abaixo pra pegar uma peça de lego; ou qual seria a cara da minha esposa ao escutar meu brado no momento em que me ponho a lavar uma prosaica xícara de café. Melhor não arriscar.

"Uhuuuu!". Preciso continuar firme, rumo ao fim do dia. Mais 24 horas à espera de uma epifania que dê sentido ao indecifrável.

Uma epifania.

Como teve Elis Regina enquanto cantava *Águas de março* com Tom Jobim: quem escutar com cuidado vai notar que no final da música, durante os "dabadabadás" improvisados pela dupla, a cantora foi se transfigurando, e num momento de revelação acaba soltando um estranho "Azavazeva", que de modo inequívoco sintetizava tudo o que a letra da música dizia.

Ou como aquela do primeiro obcecado pela saúde do corpo que um dia, já quase sem forças — pra não esmorecer e continuar pedalando sua ergométrica —, berrou com toda a força do peito o primeiro "Uhuuuu!" e mudou a história de todos aqueles que penam para manter sua sanidade física — e mental.

E VAI ROLAR A FESTA!

Muito tempo depois, numa galáxia muito distante...
— Fala, Roberto! Como é que você tá, rapaz?
— Desculpe... Quem é você?
— Sou eu, o Júlio.
— Ué, Júlio... Você tá diferente.
— Cara... Achei que eu estava precisando de uma transformação, uma repaginada no visual, sabe? Daí arrumei com uma amiga o contato de uma sobrancelheira que é simplesmente fantástica (no futuro, algumas palavras antes impronunciáveis sairão com facilidade). A mulher é um fenômeno!
— Ficou bom mesmo. Mas você também mudou o estilo da máscara.
— É, essa é nova. Estava passeando pela internet quando vi anunciada. Preço ótimo, entrega rápida e, detalhe, não é feita à mão!
— Não brinca!
— Sério, não tem nada desse negócio de: "modelo exclusivo", "feito manualmente", "sob medida". É industrializado mesmo, feito em série. O primeiro ser humano que teve contato com ela fui eu.
— E é muito bonita também.
— Obrigado! Repare a vedação. É perfeita. Não deixa nada do nariz à mostra.
— Parece segura. Quanto foi o investimento?
— Uma pechincha! Dei uma garrafa de álcool em gel e dois megas de internet.
— Sério?
— Ainda recebi um rolo de papel higiênico de troco.
— Júlio, até que algumas coisas mudaram pra melhor. Pelo menos pra nós dois, que nunca fomos primores no quesito aparência física.

— Zerou o jogo, Robertão! Agora estamos em pé de igualdade com qualquer um. Pode vir Cauã Reymond, Rodrigo Hilbert... Com o cabelo arrumado, uma boa sobrancelheira e um olhar confiante, podemos tudo.

— Verdade. Nem ao dentista precisamos ir mais. A não ser por questões de extrema necessidade: uma dor de dente, um pivô solto, coisas assim. Clareamento, dente encavalado, lasquinha quebrada não fazem diferença. Até bafo virou algo controlável, se usarmos o tipo certo de máscara.

— Mudando de assunto... Conheci uma mulher num aplicativo. Linda! Ontem ela me mandou uma foto de seu nariz, acredita?

— Um nude?!

— Um nude. E olha que eu nem pedi. Mostrei meu nariz pra ela também. Acho que vai rolar algo mais sério. Pra ser sincero, já estou cansado dessa vida de solteiro. É legal, mas cansa. As surpresas positivas são muitas, mas as decepções que temos quando nos desnudamos das máscaras vão nos desgastando. E quando notamos o olhar de arrependimento da outra pessoa? É um constrangimento sem fim.

— Eu entendo, acontece com todo mundo. Por isso agora estão lançando aquelas semitransparentes, já viu? Não escancara tudo, só insinua. É sexy pra caramba. Pessoalmente, eu não sou muito fã daquela pornografia que mostra as pessoas com o dedo no nariz, passando batom, escovando os dentes. Prefiro uma coisa mais erótica, revelando só o dorso nasal, um pedaço das narinas...

— E a visão da silhueta do lábio inferior quando elas tentam ajustar o canudinho por debaixo da máscara? É o paraíso! Falando nisso... Vou passar no bar pra pegar mais uma cerveja e trocar meu canudo. Este aqui já está exposto por muito tempo.

— Vá lá! Tem que refrescar mesmo, aqui tá muito quente. Daqui a pouco chega um fiscal, coloca um termômetro na sua testa e te expulsa da festa achando que é febre. Outro dia vi acontecer na minha frente. Um horror!

— Toca aqui, meu velho! Prazer em te ver!

— Cara, vamos nos despedir de longe mesmo. É que ontem fui numa reunião da firma e meu cotovelo está em carne viva.

SÓ VERDADES

Encaminhada

Descobriram, em Israel, uma substância capaz de destruir esse vírus nefasto criado em um laboratório na China com o objetivo de destruir a economia mundial. A morte de milhares de chineses foi uma encenação, assim como o pretenso isolamento, que induziu o mundo ocidental a adotar o chamado lockdown, prendendo pessoas de bem dentro de casa e soltando os bandidos. Trump tentou resistir, mas a OMS foi mais rápida e sequestrou dois de seus netos que agora são mantidos em cativeiro em algum lugar da "antiga" União Soviética (que na verdade nunca acabou, apenas deu um tempo). Ou alguém aí acredita que Michail Gorbatschow queria a democracia? Ou que Baryshnikov sabia dançar? Ou que a Orloff não dava ressaca? Não dá pra confiar nos comunas. ELES QUEREM DOMINAR O MUNDO!! Tenho um amigo que trabalha em um cemitério de Nova York, que está INDIGNADO e me pediu que denunciasse, pois tem medo de sofrer retaliações. Ele e outros funcionários estão sendo obrigados a escavar buracos que de longe parecem covas, mas de perto são túneis que vão dar em uma praia deserta lá no Caribe, onde estão se escondendo os milhares de atores que se fingem de mortos nos hospitais. Já passaram desta pra melhor: Tom Cruise, Scarlett Johansson, Johnny Depp… COMUNISTAS! Estão todos lá curtindo um luau, com direito a Elvis tocando ukelele. VERGONHA!!!! Essa doença é uma piada! A curva de contágio que os "epidemiologistas" previram era tão íngreme, mas tão íngreme, que o vírus desistiu de subir… Uahuahuahua!!!! Epidemiologista. Nunca tinha ouvido falar dessa profissão antes. Dizem que foi criada às pressas em uma dessas universidades, por algum maconheiro de diretório acadêmico que queria tumultuar o ambiente. BADERNEIROS! Filhotes de Paulo Freire! Querem nos calar, mas "não é no silêncio que os homens se fazem, é na palavra, no trabalho, na ação..." (li isso em algum lugar e achei bonito!). Os socialistas tentam nos impor suas teorias, mas nunca entenderão que "não há saber mais ou saber menos: há saberes diferentes" (outra frase bacana que me encaminharam). Nunca perderia meu tempo lendo qualquer coisa desse Freire. Olha o que aconteceu com a educação no Brasil depois que ele virou ministro do Lula! Um conservador de respeito postou no Twitter outro dia que "ensinar não é transferir conhecimento, mas criar possibilidades para produzi-lo". VERDADE! É aquela velha história de não dar o peixe, mas ensinar a pescar. Mas os COMUNAS, seguidores de Paulo Freire, querem nos enfiar a ideologia de gênero pela goela... Vá propor mamadeira de piroca na sua casa, seu depravado! VAMOS PRA RUA! Vamos todos, brasileiros de bem, exigir a reabertura do comércio! Vamos parar a Paulista com nossas caminhonetes e exigir a normalização do transporte público! Todos têm o direito sagrado de ir e vir! Vamos travar a cidade com nosso protesto. Quero ver se a imprensa lixo vai mostrar. FORA, IMPRENSA LIXO! Queremos uma imprensa livre, que nos dê as notícias que queremos ouvir. Chega de notícias ruins, que apenas nos deixam pra baixo. O povo brasileiro só quer trabalho e cloroquina, o resto nós corremos atrás. Deixem o Brasil voltar a ser grande! Sim, já fomos grandes outrora. Tenho saudade do tempo em que nossos bosques tinham mais vida, nossas várzeas tinham mais flores, nossas vidas mais amores e NOSSO POVO só morria de fome e de diarreia!

COMPARTILHEM SEM DÓ!

OS REPLICANTES

Em um debate virtual...
"O brasileiro é uma dádiva! Nosso povo guerreiro já nasce acostumado à luta. A primeira batalha é intrauterina, porque nascer nesta terra é um verdadeiro parto. Ainda dentro da barriga, temos que driblar infecções, torcer por acompanhamento pré-natal adequado e escolher o dia certo pra vir ao mundo — quem já teve a experiência de nascer em um plantão lotado de alguma maternidade sabe o que estou dizendo.

Seguimos nosso périplo, invisíveis, nos desvencilhando de doenças, pulando esgotos a céu aberto, escapando de deslizamentos, descolando o prato de comida nos sinais, desviando de balas perdidas, nos fazendo de moucos para os impropérios diários e de cegos para os abusos rotineiros.

É fundamental que, ao menos uma vez, os setores mais privilegiados da sociedade abram seus olhos para enxergar essa multidão de soldados que precisa ir para as ruas, lutar pelos seus e pelos nossos, enquanto uma minoria de oficiais se mantém aquartelada em seus apartamentos esperando pelo dia em que poderão, mais uma vez, caminhar triunfantes por sobre os corpos no campo de batalha".
Arnaldo Jabor

Não concordo. Eu acho isso aqui ó:
"O Brasil é maravilhoso! O que o estraga é seu povo. Nos acostumamos desde criança a darmos um jeitinho em tudo. Se as escolas são ruins, não procuramos melhorá-las; matamos a aula. O transporte público não funciona? Mais uma desculpa para chegarmos atrasados ao trabalho. Se tratamos os funcionários com respeito, eles confundem com permissividade. Quando não os vigiamos, somos roubados.

Temos um país com sol o ano inteiro, água em abundância, riquezas naturais abundantes, bundas que abundam as praias mais belas, matas intocadas onde a bunda humana nunca esteve. Temos que valorizar a família brasileira, o 'homem de bem' que não passa o dia só pensando em bundas, que trabalha duro, enquanto os 'bundas--moles' ficam apontando o dedo e repetindo acusações infundadas. Vão trabalhar, vagabundas!". Arnaldo Jabor

Eu já tenho uma visão um pouco diferente:
"A violência é criada pela desigualdade. A prisão não são as grades e a liberdade não é a rua. Existem homens presos na rua e livres na prisão. É uma questão de consciência. Não há caminho para a paz, a paz é o caminho". Arnaldo Jabor

Vocês viajam demais! Não entenderam nada do que está acontecendo. Eu penso o seguinte:
"Durante muito tempo, um pequeno grupo na capital do nosso país colheu as vantagens de governar enquanto nosso povo pagou a conta. As vitórias deles não foram as nossas vitórias, os seus triunfos não foram os nossos triunfos. O sistema protegeu-se a si próprio, mas não protegeu os cidadãos desta nação. O que realmente importa não é o partido que controla o Governo, mas sim se o Governo é controlado pelo povo". Arnaldo Jabor

Olha, pessoal, o fato é que:
"João não conseguiu o que queria quando veio pra Brasília com o Diabo ter. Ele queria era falar com o presidente pra ajudar toda esta gente que só faz sofrer". Música: Renato Russo / Letra: Arnaldo Jabor

Não tenho tanta certeza:
"Navegar é preciso, viver não é preciso". Arnaldo Jabor

"Espera aí, gente! Eu sou o Arnaldo Jabor, posso afirmar que nunca escrevi nada disso. Não sei de onde saíram esses textos, quer dizer, alguns até sei, mas com certeza não são meus". Arnaldo Jabor

Sei... Você está mais pra Arnaldo César Coelho. Deixa de ser intrometido, rapaz. Se não tem opinião formada, não venha atrapalhar. Aqui a regra é clara, Arnaldo, cada um fala o que pensa. E como bem disse o seu xará, Jabor: "Quem não se comunica, se trumbica".

DESVIO DE FUNÇÃO

Os tempos mudaram, mas se existe algo que não muda é a capacidade inesgotável que o ser humano tem de atribuir novas funções a coisas já existentes. Nada se perde… É daí que vem a imensa resistência que tenho em me desfazer de algo. Como aquela camiseta furada que se transforma no novo (e fresco) pijama de verão. A Samsonite puída que renasce como porta-chuteiras; a velha escova de dente incapaz de limpar o incômodo buraco no molar — resultado de uma peça que caiu há quase dois anos —, mas que agora higieniza com perfeição as dobras do copo do liquidificador. Sem falar na própria peça caída do molar que há quase dois anos serve de peso de papel lá no escritório.

Ainda nas cavernas, nossos antepassados pegaram um pedaço de madeira queimada e o fizeram de pincel. Desde então não pararam mais: transformaram rabiscos em desenhos, desenhos em obras de arte e, mais tarde, obras de arte em vasos sanitários e pedaços de madeira queimada. Até pouco tempo atrás, pais de filhos arteiros convertiam cintos em chicotes, espigas de milho em joelheiras e a pressão do polegar contra o indicador em beliscões. Caminhoneiros transmutaram os para-choques de seus veículos no que hoje podemos chamar de "tuítes filosóficos". Roberto Carlos transformou o caminhoneiro em canção de amor, o amor foi transformado em castelo pelo príncipe Shah Jahan. Aí veio o Jorge Ben e converteu o Príncipe Shah Jahan, a princesa Mumtaz Mahal e o tal castelo em música… E depois ainda mudou o próprio nome para Jorge Ben Jor.

A Era de Aquarius já era, foi reciclada e agora atende pelo nome de Nova Idade Média. Bravos guerreiros percorrem as avenidas, triunfantes, apertando buzinas (que soam como trombetas), acelerando motores (que lembram o relinchar de mil corcéis). O ar-condicionado, ligado no máximo, produz a ventania que ondula os cabelos esvoaçantes dos cavaleiros e confere à cena um caráter épico, além de amenizar o calor infernal que faz por aqui nessa época do ano.

Ao mesmo tempo, panelas ressoam nas varandas das torres como se fossem tambores anunciando a batalha final; mascarados abandonam as sombras e saem às ruas sem medo de serem vistos; anciãos se protegem nos esconderijos com medo de inimigos invisíveis que atacam sorrateiros sem dar a chance de defesa. Antigos aliados se tornam inimigos mortais; conspirações são tramadas à luz das telas dos smartphones... E quando os mensageiros trazem a notícia de milhares de mortos no campo de batalha, o Bobo da Corte, agora alçado à condição de "Rei do Pedaço", sabiamente responde: "E daí?".

A VACINA

A vacina vem da vaca. Essa engenhosa frase cheia de aliterações me ocorreu outro dia quando li uma história que achei interessantíssima. Era mais ou menos assim:

A tuberculose estava matando gente adoidado. Ainda mata, mas na época era um verdadeiro flagelo; não se sabia muita coisa sobre a doença e as pessoas não tinham a menor ideia de como se proteger. O pânico era geral onde ela aparecia. Foi quando um fazendeiro percebeu que os bezerros, alimentados nas tetas de vacas infectadas pela tuberculose bovina, apresentavam sintomas menos intensos do que os outros que nunca tiveram contato com a doença. Resumindo pra não virar textão: o fazendeiro resolveu raspar as tetas dos animais infectados e expor a própria família à doença... O resultado disso foi que eles sobreviveram ilesos à epidemia que assolava a região. Surgiu então a vacina e, muito tempo depois, minha incrível frase.

O primeiro contato que tive com a letra "v" foi por meio de uma frase que nunca me disse nada, mesmo aos seis anos de idade. "Ivo viu a uva". Não sei se ainda ensinam a ler desse jeito; se ensinam, posso ceder minha sentença (cheia de aliterações) aos educadores que se aventuram a introduzir nossos pimpolhos ao interessante universo dessa letra tão valorosa.

"A vacina vem da vaca" é mais atual e, além disso, está impregnada de significado prático.

Quem se chama Ivo hoje em dia? Os poucos que restaram não devem ver uvas com frequência e, convenhamos, seria muito estranho que um Ivo qualquer, caminhando pela seção de frutas e hortaliças de um supermercado, ao se deparar com alguns cachos da fruta, pensasse: "Ivo viu a uva".

Será que ele se lembraria com emoção da Tia Vania, sua professora no primário? Ou sairia de fininho, com receio de que algum conhecido o visse — justo ele, Ivo, vendo as uvas na prateleira? Imaginem os comentários maldosos...

E se Ivo fosse um desses obsessivos que não conseguem se desligar de um pensamento? O coitado poderia enlouquecer se imaginando em situações que colocassem seu nome em risco, coisas como "Ivo vendeu o vaso", "Ivo viajou de van", "Ivo ouviu o vento", "Ivo visitou sua vovó velhinha" ou, talvez a pior de todas, "Ivo vestiu suas vetustas vestes".

Pois lhe darei um conselho, Ivo: não dê ouvido a essa voz interior que só faz te censurar. Viva sua vida e seja feliz!

Mas voltemos à cartilha. Pra que tanta perda de tempo? "Arnaldo ama Amanda", "O bebê babou na babá", "Caio caiu da cama", "O dedo de Dora doeu". Temos que percorrer quase todo o alfabeto para chegar à única frase que realmente importa agora. Aquela que nos traz uma letra esquecida lá no fim, espremida entre o "u" e o "x", que é o ponto de partida para a palavra mais aguardada por todos que habitam este planeta.

Quem sabe, no futuro, nossos netos aprenderão o alfabeto começando pela letra v?

"Vovô Ivo, vacinado, hoje vive velhinho em Vila Velha. Viva o vovô!"

THAT'S ALDIR

"... mas quando pegas no copo em que bebo
a cerveja, que meu juízo afana
quase num relance percebo
que é melhor deixar pra próxima semana pois, pra
dizer-te, ainda é muito cedo,
da volúpia de minha paixão insana".

A última parte desse soneto que escrevi há tempos traz agora uma sensação esquisita:

a lembrança da ressaca do bocoió

que tentou acompanhar no copo o bebum profissional. Sabe a história da galinha que segue o pato?

Sobrou a rebordosa do pseudopoeta que fuma, mas não traga; que sobe, mas não salta;

que deslembra o sonho no instante que desperta; que mede as palavras e pare prédios, em vez de canções.

Ficamos na esperança de que a emoção nos faça poetas, como uma varinha. Varinha de emoção.

Esquece.

Não tem macumba, marafo ou prece que invente um artista.

O poeta vive no canto do ringue, no fim da picada

precisa examinar a ferida, tocá-la, sentir seu cheiro, antes de preparar a pomada.

Levantar da lona e guardar com cuidado

São Sebastião crivado de setas no mais sublime oratório. Não sou poeta, sou funcionário.

Bebo com moderação

e converso com quem não me ouve, o papo louco da viúva com o defunto (de onde vem tanto assunto?).

Pare de sonhar e vá dormir um pouco.

Depois, refeito, junto com Ary, Noel, Dorival... Bebendo em sua cadeira de imortal no bar Luiz, ouça, mais uma vez, os tambores dos terreiros;

é por ti que eles dobram enquanto o samba se cala. E depois desse "por ti",

melhor sair de fininho e ir dobrando a carioca antes que percebam o boco-moco

que vos fala. That's all.

TENTE OUTRA VEZ

A bro a porta do apartamento, coloco a máscara, entro no elevador, aperto o P com o cotovelo, ando pelo hall sem encostar em nada, cumprimento o porteiro com um aceno, fecho o portão com um leve coice, atravesso a rua pra desviar de uma família que vinha em sentido contrário, volto para o outro lado assim que eles passam, repito o mesmo procedimento por mais três vezes até chegar ao supermercado.

Pego o guardanapo com álcool em gel, desinfeto a barra com a qual empurro o carrinho, sigo pelo corredor dos materiais de limpeza, pois duas senhoras conversavam animadamente na seção de laticínios, chego ao hortifrúti, retiro dois sacos plásticos que utilizo como luvas, escolho cuidadosamente as laranjas e as coloco em um terceiro saco plástico, repito o procedimento com os mamões e os tomates, observo que as senhoras se despediram, a de máscara de oncinha foi para o corredor de biscoitos e a que usava um galão de água mineral na cabeça foi para o caixa.

Corro para a seção de laticínios ainda usando as luvas improvisadas, pego o leite sem lactose tomando cuidado pra não encostar o braço na caixa do longa vida, a luva da mão direita cai, agarro a bandeja de iogurte com a esquerda, ela quase escapole e cai em cima da coalhada, olho de relance pro Yakult, lembro dos lactobacilos vivos, recordo que achava esquisita a ideia de beber bactérias, me pergunto se as bactérias não poderiam ajudar a combater o... Levo o Yakult também.

Me dou conta de que peguei as frutas com as luvas, empurrei o carrinho, perdi a luva da mão direita e toquei a barra novamente com a mão desprotegida. Retiro a luva que sobrava na mão esquerda e passo álcool em gel, volto a empurrar o carrinho, lembro que não desinfetei a barra; desinfeto. Olho pras mãos, mais álcool.

Continuo pelos corredores, encontro com a senhora da máscara de oncinha na padaria, lembro que preciso comprar biscoitos, me abasteço com o restante da lista de compras sempre usando o álcool, não me esqueço de usar também o álcool em gel pra desinfetar a própria vasilha de álcool em gel (o diabo mora nos detalhes), chego ao caixa, conto dois passos do cliente à minha frente, espero pacientemente a minha vez, empacoto as mercadorias, pago no débito, limpo o cartão, a carteira, as mãos e tomo o caminho de volta.

No percurso, gotas de suor começam a descer pela testa, os olhos embaçam, a vontade de coçar é insuportável, faço a menção de levar os dedos ao rosto, mas paro a tempo; com uma série de movimentos espasmódicos dos músculos da face, consigo aliviar momentaneamente o incômodo e finalmente chego em casa, são e salvo.

Falta pouco, retiro os sapatos em frente à porta do apartamento, me dirijo à área de serviço, desempacoto tudo, limpo as caixas e embalagens com detergente, ponho os legumes na solução de água sanitária, jogo os sacos plásticos no lixo, fico nu, coloco a calça, a camisa e a cueca na máquina de lavar e corro para o banheiro com receio de que algum vizinho me veja.

No momento em que passo xampu nos cabelos, escuto a inconfundível voz que mescla a proporção exata de doçura e firmeza — receita infalível pra transformar qualquer pedido em uma ordem — dizer:

— Amor, você foi ótimo! Só se esqueceu do sal e do alho. Dá pra voltar lá ainda antes do almoço? Ah… e que história é essa de começar a tomar Yakult?

DIA DA MÃE

Esta semana morreu um titã. Quando li a notícia, fui pesquisar sua história:

Os titãs eram filhos da deusa Gaia, a Mãe Terra, com Urano, que representava o Céu. Juntos, o casal gerou doze pequenos titãzinhos que, de um jeito macabro, eram obrigados pelo pai a ficarem enclausurados dentro do ventre da mãe. Cansada de sofrer, a eterna gestante instigou um de seus filhos, Cronos, a se rebelar contra o pai. O menino, então, munido de uma foice, decepou os órgãos genitais de seu progenitor no exato momento em que Urano tentava se deleitar com as delícias de Gaia. Foi dessa trágica separação entre o Céu e a Terra que surgiu o universo; e os doze irmãos puderam, enfim, enxergar a luz do primeiro dia.

O titã que morreu se chamava Ciro Pessoa e também tinha uma história peculiar. Li — mas não sei se foi bem assim, pois é preciso escolher a versão pra se contar um enredo — que ele foi um dos mentores da banda Titãs. Um sujeito inquieto que instigou sua turma a tocar. Tocar pra romper a barreira da realidade insuportável; tocar pra fugir da vida comezinha que nos sufoca. Tal qual o útero de Gaia. De certo modo, ele foi o Cronos dessa história; foi dele o pontapé inicial. O curioso, pelo que li, foi que, quando a banda começou a deslanchar, o cara pulou fora. Vai entender... É como o sujeito que ajuda a empurrar o carro enguiçado, mas não sabe depois que ele pega, porque prefere seguir a pé.

Sempre desconfiei de que toda decisão é tomada em um lugar da nossa cabeça que não conhecemos bem, uma região onde nossos defeitos e qualidades ficam brigando incessantemente. No caso do Ciro, gosto de pensar que quem venceu a briga foi o desprendimento.

É justamente esse o ato materno que mais admiro. Não é o amor. O amor é fácil. Ele nos invade, às vezes de supetão, outras, de maneira insidiosa; como uma doença que começa com um leve mal-estar e quando percebemos, já estamos na cama, delirando. O desprendimento precisa ser engendrado, nutrido, até que se estabeleça. É necessário respeitar cada fase — concepção, gestação e parto — pra que ele nasça em sua plenitude. As mães podem ser várias em seus defeitos e qualidades, mas, quando conseguem a proeza de unir o amor ao desprendimento, elas se tornam uma. Se unem em Gaia, a divindade que um dia ousou recusar o poder.

Não sei se o titã já havia chorado por sua mãe, ou se hoje, no dia dela, mais uma mãe chora a morte do seu filho. Mais um.

VERGONHA!

Quem teve a oportunidade de presenciar o momento em que o século XX passou o bastão a seu sucessor, com certeza se lembrará do famigerado "bug do milênio". O tal bug se daria por um erro de lógica nos sistemas informatizados e causaria uma pane geral no planeta.

Pois bem, o novo milênio chegou sem contratempos ou panes e com Léo Jaime tocando no talo: "Ela me dá um beijo na testa e quer que eu tenha um dia legal". Nada mudou, ou melhor, nada mudou assim de repente. Aos poucos, os indivíduos foram se soltando, desatando as amarras do recato, rompendo os grilhões do comedimento. Até que um dia ela sumiu da praça e nunca mais foi vista.

As pessoas perderam a vergonha.

Coisas que antes ficavam só entre nós e o nosso umbigo, ganharam o mundo, botaram o pé na estrada e hoje se apresentam em público com a desenvoltura das cantoras de axé. Ninguém mais se perde em seus próprios devaneios, eles os compartilham; é muito mais fácil, menos desgastante e, de certa maneira, libertador. Pra que guardar no peito aquela sensação ruim, que ficava escondida, com medo do julgamento alheio?

Sentimentos como tédio e despeito, antes renegados, agora ficam expostos nas redes sociais como bumbuns em Copacabana. Hoje é possível filmar e postar, em tempo real, a chatice daquele show (daquela banda daquela música que geralmente só toca no final), ao qual só decidimos ir depois de muita insistência dos amigos. Não precisamos esconder o enfado. Os outros, que não foram ao show porque não dão a mínima para a tal banda (da tal música que só toca no final), morrem de inveja e a compartilham travestida em emojis de coraçõezinhos.

Lá do raio que o parta, o decoro assiste, ensimesmado, a esse imenso reality global.

DESPUDORADOS compartilham vídeos de sacanagem, seguidos de textões indignados defendendo a família brasileira; geralmente iniciados pela palavra "VERGONHA" escrita em caixa-alta. DESINIBIDOS plantam bananeiras na tevê pra descolar o vale-compras da loja de departamento. DESAVERGONHADA, a artista dá piti em rede nacional como se acabasse de ver o fantasma de Roque Santeiro.

DESACANHADOS profissionais orgulhosos agora aceitam virar memes embaraçosos em troca de um cargo na Corte.

O negócio da vez é vender o desdouro para ganhar a prata, sem o menor embaraço. Até porque faz tempo que o constrangimento morreu de vergonha.

LIVE

A música chegava ao seu ápice. O vocalista, ensopado de suor, se agarra ao microfone (pelo ângulo da câmera, imagino que esteja no quarto do filho dele) e grita: "JOGA AS MÃOS PRO ALTO E SAI DO CHÃO!".

Nessa hora, Jorgito, escornado no sofá reclinável, inebriado pela mistura de gim-tônica com pipoca, faz um movimento sincopado com a cabeça — estilo Fat Family — e sua esposa, que até então assistia à live com um olho no notebook e o outro no Instagram, joga o telefone pro lado e também entra no clima. O som que saía da caixinha do computador tinha a potência de um rádio de pilha, a transmissão era ruim, a imagem não sincronizava com a voz, o cantor estava de pijama no quarto do seu filho, mas não importa, dois meses de confinamento nos deixam sensíveis aos pedidos mais estapafúrdios. Escutar aquele "sai do chão", sob aquelas circunstâncias, naquele sábado à noite... De repente fez todo sentido.

"Deixa a tristeza lá fora e vem comigo na palma da mão!". As palavras do cantor faziam vibrar os tímpanos do casal que àquela altura já se encontrava, perigosamente, de pé, em cima do sofá reclinável. A bebida escorria pelas mãos de Jorgito enquanto sua companheira pulava, com o balde de pipoca, que se esvaziava um pouco mais a cada salto. O estrago era grande.

"Não pense no amanhã, vamos cair nesse suingue gostoso!". O artista já não cantava a letra da música, apenas proferia palavras de ordem que deixavam, mais e mais, o recluso casal em estado de êxtase. Sandrinha, a esposa, com a cabeça enfiada onde antes estava a pipoca, se sentia no camarote mais concorrido da avenida, enquanto seu marido bebia o gim no gargalo da garrafa. O cantor pedia, exultante: "Não temos tempo a perder, faz barulho aí!". E o duo elétrico respondia aos gritos de: "A-há, u-hu, a quarentena é nossa!".

As batidas do tambor eram acompanhadas pelo repique improvisado na mesa de centro. As mãos do, até então, pacato morador do apartamento 501 castigavam sem dó o tampo de vidro, ao mesmo tempo que sua fiel companheira acendia e apagava as luzes num frenesi estonteante, causando aquele efeito de boate, que deixa tudo em câmera lenta.

"Olê, olê, olê, olê, eu vou sair pra rua e ninguém vai me deter!". De mãos dadas, os dois pombinhos giravam, sorriam e cantavam essa cantiga improvisada, fruto dos devaneios que tomavam conta da cabeça do ébrio Jorge. Sem que percebessem, a tal live chegou ao fim e foi sucedida por outras, inúmeras, dos mais variados estilos. Os amantes dançaram ao som de sertanejos universitários, pagodeiros apaixonados, funkeiros evangélicos e roqueiros emos.

Aos poucos, as mãos entrelaçadas evoluíram para abraços desengonçados, as gargalhadas se calaram no encontro dos lábios e, ali mesmo, entre pipocas e poças de gim-tônica, se ouviram: "Tantos beijos loucos, tantos gritos roucos, como não se ouviam mais, que o mundo compreendeu e o dia amanheceu em paz".

SOB O SIGNO DA LIBRA

Outro dia, ouvi alguém dizendo que morrem mais de quarenta mil pessoas por ano em acidentes de trânsito e ninguém entra em pânico. Concordo. Precisamos buscar o equilíbrio. A civilização nasce para controlar o caos, mas, ao perceber que não poderia vencê-lo, resolve ignorá-lo. E assim foi feito; o estado de confusão primordial, que muitos acreditam ser a matéria-prima do universo, passou a ser sujeito oculto do nosso dia a dia. Desconsideramos sua existência, mas ele está lá, como o menino que vende bala nos sinais ou o rapaz que acampa embaixo da marquise do prédio do escritório. O caos vive, incógnito, na metade vazia do copo meio cheio, no lado embusteiro das meias verdades, esperando pacientemente o momento de nos estapear a cara.

Nessa incessante busca pela harmonia, deixamos de entrar em pânico pelas milhares de mortes no trânsito, nos acostumamos com chacinas diárias, nos distraímos da miséria que ronda nossos carros enquanto amaldiçoamos o engarrafamento. Vale tudo, inclusive usar vidas perdidas como contrapeso para justificar outras vidas perdidas. Confesso que fiquei na dúvida sobre como a frase lá em cima se encaixaria na teoria da balança universal. Deveríamos nos apavorar com os acidentes de trânsito e com a pandemia, sem distinção? Ou então, se não damos bola para os acidentes (desde que não sejam conosco, claro), também não deveríamos nos preocupar tanto com a nova doença. As duas soluções me parecem razoáveis na questão da proporcionalidade, embora radicalmente opostas.

Quase sempre conseguimos nos apaziguar com a ideia de que a ausência de indignação com algum mal nos serviria de atenuante em relação à nossa indiferença com a mazela seguinte, e por aí vai. Mas o caos nos precede e logo nos sobreviverá. Às vezes, ele chega pra dar o recado de modo contundente, o que é o caso agora. A "esperança equilibrista" saiu pra encher a cara com o bêbado e não voltará tão cedo. Precisaremos nos virar, do jeito que der, até chegarmos à areia fofa (se é que algum dia ela existiu). Nenhum surfista pensa na próxima onda em pleno caldo. Talvez ele nem pense no caldo, só intua a necessidade de se conectar ao turbilhão, usando todos os sentidos pra ser parte dele e entender, mesmo que precariamente, quais são as rotas de fuga daquela situação.

Sob o signo da libra, vivemos balançando entre a candura inocente da virgem e o ferrão implacável do escorpião, inventando estranhas fórmulas matemáticas que tentam comprovar, a todo instante, que a soma de duas tragédias é igual à ausência inefável do caos.

SERVIÇOS ESSENCIAIS

Respirar é essencial. Apesar da fumaça dos canos, da fuligem das siderúrgicas, do pó das mineradoras, do bafio dos esgotos a céu aberto, respirar é preciso. Assim como é preciso evitar as doenças que nos impedem de respirar. Driblar, a todo custo: a asma, o enfisema, as viroses, a angústia... Temos de respirar.

Comer é essencial. Mesmo com a manipulação dos transgênicos, a química dos agrotóxicos, o papelão misturado aos embutidos, a data de validade adulterada nas prateleiras, o dinheiro desviado das merendas. Mesmo com a fome. É fundamental juntar a fome à vontade de comer.

Beber é essencial. Ainda que a água não seja tratada, o lixo se acumule nas beiras dos rios, os bacilos nos provoquem diarreia, as nascentes sejam destruídas. A despeito do outrora incolor agora ser turvo; o dantes insípido ter gosto de barro e o remoto inodoro hoje exalar o inconfundível cheiro de fezes. Tomai e bebei todos vós.

Trabalhar é essencial. A despeito do salário ruim, do transporte empapuçado, do esculacho do patrão, da ressaca do fim de semana, do plantão aos domingos. O trabalho enobrece quem dorme tarde, acorda cedo, almoça a fria marmita, veste a marmota do uniforme, limpa o cocô do intolerante à lactose, prepara a dose do alcoólatra que perdeu o emprego, estaciona o carro do doutor. Mas descanse aos sábados, porque ninguém é de ferro.

São tantas as atividades essenciais que eu poderia escrever uma biblioteca inteira sobre elas. Só não o faço, pois considero o tempo algo preciosíssimo (pra não dizer essencial). Quando ele finda, é também o fim das coisas inevitáveis. De modo que evitarei discorrer sobre a importância do porteiro da escola, do camelô na estação central, da vendedora de cosméticos, da manicure no salão de beleza...

Histórias de profissionais absolutamente indispensáveis à sociedade foram eternizadas pela literatura. Já escreveram sobre o contínuo da redação que virou jornalista, porque sabia das fraquezas do chefe; sobre o psiquiatra que acabou internado em seu próprio manicômio; ou a datilógrafa que teve sua hora de estrela no momento de sua morte.

Os livros mostram (há séculos) os recônditos detalhes das vidas daqueles que exercem as atividades imprescindíveis, muito antes dos decretos que hoje estipulam, de maneira fria e solene, o que importa e o que é acessório.

O curioso (e melancólico) é que a livraria — guardiã da história de bêbados, vagabundos, operários, generais, vaqueiros, escravos... que tiveram a audácia de realizar alguma ação indispensável à aventura humana — hoje não figure nem na mais remota lista de serviços essenciais.

AVOA, ANTÔNIO!

Hoje me lembrei da história de um rapaz sonhador que viveu na terra de minha mãe, lá pros lados de Itabira, mais precisamente em Passabém. Um lugar peculiar, com pessoas peculiares. Não tenho notícia de algum morador do local, pelo menos dos antigos, que tivesse nascido em outras paragens e migrado para lá. O passabenhense brotou ali, é parte da fauna da região, assim como a graúna ou o lobo-guará. Mas você que tem a alma aventureira, por favor, não perca seu tempo organizando expedições para conhecer essa joia perdida. Ela já não existe mais. Se alguém metido a Indiana Jones resolver dar as caras por lá, no final de uma tarde qualquer, encontrará pessoas sentadas na praça, teclando seus celulares; donas de casa comprando lasanha congelada pra esquentar no jantar; ou o ronco do motor dos carros que infestam as poucas ruas que rabiscam a cidade.

Deveras, o explorador que arriscar passar mais tempo no burgo, ao procurar com atenção, poderá encontrar vestígios daqueles tempos. Pequenas relíquias de um povo que reinou absoluto por décadas, espremido entre as montanhas da região. Imagino a emoção do arqueólogo ao encontrar a fita que decorava o pandeiro do marujo, a marmita enterrada onde um dia foi a pensão da tia Mundinha ou mesmo um pedaço do bambu que cercou a primeira boate da cidade, onde meus antepassados dançavam coladinhos ao som de Pholhas (escutem os Pholhas).

Uns poucos representantes da Era de Ouro ainda podem ser vistos por lá, perambulando incógnitos entre a máquina de refrigerante, a lan house e o pet shop. Alguns inclusive se arriscam em caixas eletrônicos. Guerreiros. E é justamente sobre a queda de um deles que irei falar.

Não, ele não morreu em batalhas, nem foi capturado por bárbaros que de tempos em tempos tentam conquistar a cidadela. O rapaz, Antônio, trabalhava na fazenda de meu avô e era um desses contemplativos, que vivem de cogitar. Imaginava arapucas em caixas de papelão, estilingue em galhos de goiabeira, coisas assim, singelas. Mas, certo dia, Antônio foi picado pela mosca azul. A ideia que lhe ocorreu era grandiosa e fazia todo o sentido, pelo menos à época. Ele já vinha planejando a aventura há algum tempo, fazendo cálculos, comparando probabilidades, não foi algo impensado. O passabenhense não é chegado a arroubos.

O fatídico dia se iniciou como qualquer outro de inverno em Passabém, com aquele sol a pino que só amorna, não esquenta. A temperatura era ideal, o vento soprava na direção correta e meu avô conversava com alguns amigos no pátio da fazenda. Estes seriam as testemunhas do feito.

Pois bem, do alto da varanda do casarão antigo, surge Antônio, munido apenas de um guarda-chuva e muita coragem. Os presentes tentaram intervir, mas já era tarde, o rapaz se jogou lá de cima como se fosse um paraquedista — ciente de algumas leis da física, mas ignorando totalmente as limitações do objeto que tinha em mãos — e... se estatelou no chão.

Todos correram pra acudir (a compaixão é outro traço da personalidade dos locais), mas Antônio de pronto se levantou, sacudiu a poeira e saiu mancando, com algumas escoriações e um apelido que o acompanharia por toda a vida: "Toninho guarda-chuva".

Toninho morreu de câncer, com mais de oitenta anos de idade, pouco antes do início da pandemia. O que é uma pena, pois a essa altura ele certamente já estaria matutando um jeito de solucionar esse flagelo.

CORES VIVAS...

"Eu não consigo respirar". Essas foram as últimas palavras de mais uma vítima da pandemia.

George havia perdido seu emprego como segurança de uma boate que fechara as portas durante a crise. Ele e seus colegas de trabalho se despediram e cada um seguiu seu rumo. Apesar da empatia, da cumplicidade e dos segredos divididos, era natural que perdessem o contato.

Em uma tarde nublada, George foi ao supermercado, pegou o que queria, se dirigiu ao caixa e entregou uma nota de vinte dólares. Enquanto esperava o troco, foi interpelado pelo funcionário que alegou que a cédula era falsa. Durante a discussão, a polícia foi chamada e compareceu ao local para resolver o conflito. Em questão de minutos, o veredito foi dado e o desempregado já pronunciava suas últimas palavras com os lábios arroxeados e o pescoço esmagado entre o asfalto e o joelho do justiceiro. Foi assim que os antigos colegas reviram, pela última vez, o velho companheiro de trabalho.

A tarde era cinza, a cédula era verde, o joelho do policial era branco e a pele de George era preta.

João Pedro não foi à aula, pois estavam suspensas. Mas os pais dele precisavam trabalhar e deixaram o garoto de quatorze anos sozinho em casa. Uma temeridade, tendo em vista que adolescentes são sujeitos a rompantes e podem fazer besteira sem pensar duas vezes. O menino, impetuoso, cometeu a insanidade de sair de casa pra brincar com os amigos na rua de sua comunidade. Só pra situar o leitor desinformado, "comunidade" é o novo nome do que antes chamávamos de "favela", que nada mais é do que um bairro: cheio de crianças brincando, donas de casa fazendo compras, pais saindo para trabalhar. Tem bandidos e policiais também. Assim como no seu bairro. A diferença é que lá os policiais entram em confronto com os bandidos; e as crianças, donas de casa e papais que se virem pra escapar do fuzuê.

Foi justamente o que aconteceu naquele dia. Os policiais chegaram atirando, mas João Pedro conseguiu correr pra dentro do portão. Seu celular tocou; era sua mãe que ouvia de longe os tiros e ligava pedindo pra que ele ficasse bem quietinho. Ele respondeu: "Estou dentro de casa, calma".

Os pais dele voltaram pra casa aflitos, mas a única coisa que viram foram as marcas de bala nas paredes e os cacos de vidro no chão. Depois de várias horas de aflição, o reencontro se deu em uma sala fria do Instituto Médico Legal.

A lua no céu era amarela, o lençol que cobria o menino era verde e sua pele, assim como a dos pais dele, era preta.

A vida seguia como sempre. Ninguém desconfiava de que um vírus chegaria em alguns anos pra causar um pandemônio danado. Marcos Vinícius brincava distraído enquanto sua mãe preparava o café apressada. Após o rápido desjejum, o menino se aprontou, pegou a mochila e saíram os dois, juntos; ele pra ir à escola e ela pra trabalhar no centro da cidade. Como a direção era a mesma, eles seguiram lado a lado por uma avenida do Complexo da Maré até avistarem um camburão parado na esquina. Logo em seguida ouviu-se um estampido seco e Marcos Vinícius caiu no chão. A mãe pegou o menino no colo, ainda a tempo de ouvi-lo dizer: "Eu vi quem atirou em mim, foi o blindado, mãe. Ele não me viu com a roupa da escola?". Ali eles se despediram pela última vez.

O céu era azul, o uniforme era branco, a mancha no abdome era vermelha e a pele… sempre preta, trazia as marcas de uma doença que nos aflige há séculos — e para a qual ainda não inventaram vacina.

VIDEOCONFERÊNCIA

— Podemos começar? Tá todo mundo aí? Nosso convidado vai entrar on-line a qualquer momento.

— Acho que não falta mais ninguém, Sara. O Roberson acabou de entrar e o Severino mandou mensagem dizendo que vai atrasar um pouquinho, mas vai participar — respondeu Thalita, que ajudava na organização.

— Ótimo, vou chamar o cara. É bom lembrar que ele é uma pessoa muito importante lá nos Estados Unidos e se dispôs a nos ajudar com algumas dicas para nossa organização. Ele sabe um pouquinho de português, então vai dar pra todo mundo entender.

— Ô, Sara, aqui é o Sinval. Acho que minha câmera não tá funcionando. Só queria perguntar uma coisa. Ele é um supermacista branco? É esse o nome? Não é supermachista, não?

— Não sei, Sinval. Também não entendi muito bem, mas deve ser coisa boa. É americano, né? Americano é outra coisa. Lá não tem essa pouca vergonha que tem aqui. É país de primeiro mundo, gente de bem.

— É isso aí! Lá não é Cuba nem Venezuela, não; é um país civilizado — falou Erivaldo, que havia morado em Boston ilegalmente, mas foi deportado há três anos.

— É agora... Professor Donald, aqui é a Sara. Um prazer falar com o senhor. Como eu havia dito por mensagens, estamos criando um grupo aqui em nosso país pra defender o ideal conservador e reestabelecer a ordem e os valores da família. Exatamente como sua organização faz por aí.

— Buenos dias a todos de Brazil. É um prazer dar uno help a vocês.

— A honra é toda nossa, professor. Nós fazemos parte da organização "300 pelo Brasil" e estamos começando a fazer algumas manifestações por aqui. Gostaríamos de alguns conselhos.

— Você disse "300 pelo Brazil", pero só vejo trinta personas.

— Sim, somos trinta, mas na hora de fazer a faixa escreveram com um zero a mais e resolvemos deixar; fica mais imponente. Como aquele filme, lembra? *Trezentos de Esparta*. Fingimos acampar numa praça, mas na verdade dormimos e tomamos banho em nossas casas, aqui na capital federal.

— Eu saber... Buenos Aires.

— A nossa capital é Brasília.

— Ok! Comprerrendo.

Ouvem-se sons de risos abafados e o Sinval falando baixinho com a esposa: Ele fala "Oquêi" em vez de "Talquêi".

O professor continua:

— Como vocês devem saber, nosso movimento começar no século passado e valorizar o verdadeiro cidadão americano, o "WASP".

— "WASP"? — perguntou Sara.

— Yes. White American Anglo-Saxon Protestant. Traduzindo para vocês é: "O americano branco protestante que vem do norte da Europa".

Os participantes fazem o sinal de positivo com a cabeça, sérios, como se houvessem entendido.

— Nós somos os legítimos proprietários do nosso país e não aceitaremos que strangers aproveitem o que construímos com tanto esforço. Defenderemos com nossas vidas a supremacia branca — concluiu o gringo.

— Aí, gente, não falei? Lá no supremo tem aquele russo comunista de nome esquisito, o Levandovisqui, que está ocupando o lugar do Roberson, este, sim, brasileiro nato e ainda por cima bacharel em Direito — disse Sara, indignada.

— Mas eu vi num faroeste que já existia índio na sua terra antes do europeu chegar — falou Sinval, que tinha a pele amarronzada e o cabelo bem preto e liso, cortado em formato de cuia.

— Mas eles não contam! — respondeu irritado o americano, que a essa altura já estava reparando as feições dos participantes em pequenos quadrados no seu monitor. — Olha, não tenho muito tempo, time is money. Vou passar as informations que vocês quererem, mas preciso saber quem estar no comando da operação.

— Sou eu mesma, a Sara.

— Uma mulher no comando? Achei que você ser a secretária.

— Não sou a secretária, eu sou a líder do grupo.

— Mas como é que vocês pensar ser donos de um país com uma mulher chefiando? E reparando melhor, eu perceber que você tem um nose em shape de potato.

— Eu sei o que é potato! — apressou-se Erivaldo, que havia trabalhado em um restaurante nos Estados Unidos. — É batata! Ele está dizendo que a Sara tem nariz em formato de batata! Foi isso que ele quis dizer!

Mais risos do Sinval e da esposa.

— Realmente, a plástica não ficou boa, mas descolori o cabelo e evito tomar sol.

— Não adianta! — cortou o ruivo branquelo de olhos azuis. — É preciso nascer superior, não adianta querer ser superior.

— Fala, pessoal, desculpem o atraso! — era o Severino que acabara de entrar no chat, com lábios fartos e um sorriso branco, que contrastava com a pele morena que herdara de sua mãe.

— Acho que caiu a conexão do professor — disse Erivaldo. — A tela dele sumiu.

— Que pena! Logo agora que eu entrei...

— Esquece aquele supermachista, Severino! — interpelou Sara. — Vamos tentar contato com outras pessoas que conheci na internet. Eles moram na Europa e se dizem neonazistas. Com certeza nos tratarão melhor.

ESCOLHAS

A vida é feita de escolhas, e cada escolha implica uma renúncia. Essa frase não é minha; detesto clichês e, pra falar a verdade, nem sei se concordo muito com ela. Só comecei minha crônica assim, porque escolhi não ser original. Quando quero, posso ser tão peculiar quanto as pessoas que julgam que o país deve se abrir enquanto o mundo inteiro se fecha. O momento em que vesti minha cueca bonina hoje de manhã é um exemplo disso.

Bonina é uma cor que só se aplica a cuecas. Estigmatizada, ela parou de ser vista em outros elementos do vestuário e, à medida que as roupas íntimas masculinas foram se transformando, deixou de tingir inclusive as tais.

Sempre admirei a originalidade daquele modelo de cueca mais largo (que minha esposa costuma chamar de frouxa), com uma abertura na frente e pequenos orifícios, estrategicamente distribuídos. Se a cor for bonina então, ela assume personalidade própria. De modo que, ao vê-la hoje de manhã, jogada num canto da gaveta, não resisti.

Consegui passar despercebido até a hora do almoço, quando me abaixei para pegar a colher que meu filho tinha deixado cair e fui fulminado com um olhar que era menos de surpresa do que de repulsa. Claro que minha esposa sabia que esse momento chegaria mais cedo ou mais tarde, mas a hora em que a coisa se materializa é difícil mesmo. Entendo. Não está fácil pra ninguém e não precisamos piorar as coisas.

Mas o desejo de mostrar ao mundo quem sou eu, qual é a minha história e de onde vim falou mais alto e vesti aquele pedaço de pano que definitivamente não se encaixa na definição de *underwear*. Esse nome serve para as similares, com aquele elástico que, de tão apertado, força a musculatura abdominal pra cima causando uma saliência que alguns chamam de barriga. Comigo não, ou melhor, com ela não; o nome é cueca mesmo, sem subterfúgios.

A tarde estava no fim quando minha companheira resolveu, finalmente, me dirigir a palavra e explicar de maneira bem didática que eu precisava ir ao supermercado. Prontamente calcei meus tênis (sou oriundo do movimento punk e não uso chinelos; fumo cigarro com piteira, aplico na bolsa e canto Michel Teló no chuveiro, mas chinelo seria uma traição sem precedentes), peguei a sacola, o álcool em gel e parti resignado.

Com a sacola na mão direita e o álcool em gel na boca, eu tentava pinçar os produtos entre os dedos, mindinho e anular, da mão esquerda; técnica que aprendi com uma blogueira na internet. O processo foi mais demorado do que eu esperava, mas me saí bem. Quando estava terminando minha missão, já na boca do caixa, um dos produtos (acho que foi uma garrafa PET de refrigerante) escapuliu e, no reflexo, me curvei para apanhar.

Nessa hora, mesmo que por alguns segundos, percebi que as pessoas da fila haviam se desligado das grandes escolhas da vida: o sofrimento será maior com a recessão econômica ou com os hospitais abarrotados? É melhor acreditar no ministro da saúde ou no presidente? Não, algo maior se impõe no momento.

"Cueca bonina?".

OS SOBRESSALENTES

"Eu costumava viver em minha casa, agora só fico nela". Esse verso premonitório ecoava em alto e bom som por todo o apartamento de Oswald, um médico que queria mesmo era ser dono de loja de discos. Em seu aparelho tocava os Replacements, uma banda estranha e, apesar de charmosa, renegada. Os caras eram punks, românticos, selvagens, doces... Tudo ao mesmo tempo. Uma mistura esquisita, mas que funcionava. Como aqueles sucos saudáveis que mesclam agrião, aveia, tangerina, banana e, no fim, ficam gostosos.

Oswald nunca foi um purista. Escutava choro, blues, baião... Donna Summer e Dona Ivone Lara. Vestia bermuda com camisa de botão, sapato sem meia, meia com chinelo e chinelo com calça. Era um modernista como seu pai, que escolhera seu nome não para homenagear o poeta que organizou a Semana de Arte Moderna (ele não gostava de ler), mas a ele próprio, Osmar, e sua esposa, Walda.

O modernista adolescente ficou entusiasmado quando soube que aconteceria um festival (que viria a se chamar Rock in Rio) onde tocariam no mesmo palco: Kid Abelha com AC/DC; Iron Maiden com Ney Matogrosso; Nina Hagen com Yes... Mas muita gente chiou. Se pudessem, trocariam o Kid Abelha pelo ZZ Top, o Iron Maiden pelos Novos Baianos e o Yes pelo Neu!. Qualquer tipo de excentricidade era execrada, mesmo por pessoas excêntricas. Quem não se lembra da chuva de copos em Carlinhos Brown quando, no mesmo festival (só que algumas edições depois), resolveram misturar o baiano com o Guns N' Roses? Alguns cabeludos-tatuados-com-calças-rasgadas--e-anéis-de-caveira não suportaram tamanha esquisitice e botaram pra quebrar. O futuro doutor estava nesse show, mas não arremessou nada; pelo contrário, saiu constrangido e foi beber uísque misturado com guaraná.

As possibilidades são várias; as pessoas, não. Os Beatles poderiam se chamar "Os Quarrymen" ou "Silver Beetles". John Lennon poderia ter sido um músico de sucesso, ou um contador, até mesmo um borracheiro. Os pneus consertados por ele poderiam ser rebaixados a sobressalentes ou promovidos a canteiros de jardim. As possibilidades são várias. Mas o fato é que Lennon estaria fadado a ser eternamente John, o menino atormentado pela morte da mãe e o abandono do pai.

Carlinhos é músico; é também jurado na tevê e tribalista, mas continuará sendo o Brown do Candeal por onde for. O mesmo Brown que saiu da Bahia pra cantar sua música no Rock in Rio e foi repelido. Talvez porque ele carregasse um peso que nem dez bateristas de heavy metal poderiam suportar. Talvez ele fosse heavy metal demais praquela turma.

Naquela fatídica tarde, enquanto copos eram arremessados como coquetéis Molotov, o garoto que gostava de discos tentou protestar contra a atitude de alguns jovens tiranos, mas foi intimidado pela brutalidade da situação.

Oswald queria vender discos, mas hoje sabe (com alívio) que, se tivesse seguido seu sonho, provavelmente estaria desempregado. Lojas desse tipo quase não existem mais. O que teria acontecido, se ele tivesse tido a coragem de abrir a loja? Ou enfrentado os metaleiros no festival? As possibilidades são várias. Mas é certo que ele continuaria apaixonado por música; se reconfortando com canções feito aquela, que agora tocava em seu aparelho de som: "Se ter medo é um crime, nós resistiremos, um ao lado do outro, na festa de arromba que acontece no final da rua".

ENTREVISTA DE EMPREGO

— Silvestre! Pode entrar, o novo secretário o receberá agora — a mulher que organizava a entrevista repetia novamente a sentença que ecoava pelo saguão a cada quinze minutos, mudando apenas o nome no início.

O desempregado levantou-se de pronto e entrou na sala tentando mostrar uma confiança que andava cambaleante.

— Muito prazer! Sente-se, por favor — disse o novo secretário, apontando a cadeira à sua frente.

— O prazer é todo meu! — O entrevistado pensou em estender a mão, mas preferiu um discreto aceno enquanto tomava seu lugar.

Fez-se um breve silêncio que foi interrompido pelo secretário.

— Não vejo a necessidade do uso dessa máscara. Aqui não temos esse costume. O senhor está doente ou algo assim?

— De maneira alguma. Só a coloquei — disse Silvestre retirando a máscara — porque gosto de seguir as recomendações.

— Aqui não seguimos recomendações, seguimos um líder. Somos um exército a serviço de um propósito. Aliás, verifiquei o seu currículo e percebi que você tem uma vasta experiência na área de cultura. É verdade?

— Sim, posso dizer que tenho.

— Não me leve a mal, mas aqui é justamente a Secretaria Nacional da Cultura. Não pega bem colocar alguém da área cultural. Seria como colocar um ambientalista no Ministério do Meio Ambiente ou alguém educado no Ministério da Educação. Tivemos experiências muito ruins quando tentamos usar médicos como ministros da saúde. Hoje temos um militar lá pra resolver a situação. Militares cumprem ordens, não fazem perguntas. Mas não vi só defeitos em seu currículo, notei algumas qualidades também. Vi que você atuou muito tempo como soldado do exército americano.

— Verdade — respondeu Silvestre mais animado. — Tive um certo destaque atuando como Rambo. Foram três ou quatro filmes de muito sucesso que me renderam prestígio. Dinheiro não, por isso vim aqui pleitear esta vaga.

— Interessante. Vi que você destruiu vilarejos e derrotou batalhões de vietcongues sozinho. Você também teve uma atuação destacada no Afeganistão, botando pra correr uma porção de terroristas.

— Essa do Afeganistão foi no *Rambo III*. Se o senhor tiver curiosidade de assistir, nesse filme eu usei até arco e flecha. Foi muito interessante fugir daquela coisa tradicional de metralhadora, fuzil...

— Arco e flecha já não acho tão legal. É que lembra índio, e índio não tem nada a ver com cultura. Aliás, não tem nada a ver com este governo. Eles que se virem lá com os grileiros, não temos tempo pra resolver esses conflitos. Só podemos torcer pra que tudo se resolva rapidamente e os índios consigam finalmente garantir seu espaço em algum barraco de alguma periferia. O Brasil é imenso e tem lugar pra todo mundo. Além disso, podem nos acusar de apropriação cultural, e aqui na secretaria não queremos nos apropriar de nada. Pelo contrário, queremos nos desfazer.

— Pode ficar tranquilo, faz tempo que não uso mais arco e flecha.

— Tudo bem — disse o novo secretário (do qual sinceramente não consigo lembrar o nome). — Mas tem algo aqui que pode prejudicar sua nomeação. Notei que você tem outro trabalho de bastante sucesso... A série *Rock: Um lutador*.

— Foi um trabalho muito elogiado, secretário, um sucesso estrondoso. — Silvestre não conseguia esconder o orgulho.

— Rock não é bem-visto aqui na Secretaria. Ele mexe com a libido, que estimula as relações sexuais, que levam à gravidez precoce e, consequentemente, ao aborto, que é coisa de Satanás e de comunista. Não lembro se a sequência é bem assim. Acabei de assumir o posto e ainda não decorei a cartilha, mas a linha geral é mais ou menos essa.

— Mas é Rocky, não Rock.

— Pois é, o que foi que eu disse? Rock.

— Deixa pra lá... O senhor viu que no *Rocky IV* eu lutei contra um russo, dentro da antiga União Soviética, em plena Guerra Fria? Dei uma surra naquele marxista de merda. Mostrei pra eles que nossa bandeira nunca será vermelha. E agora que me naturalizei brasileiro, estou pensando em fazer o *Rocky VI* na Argentina.

— Boa ideia! Com certeza terá o apoio do governo. Poderemos fazer algo épico; você lutando contra o Ricardo Darín em Foz do Iguaçu, no meio das cataratas. Quem ganhar fica com o Paraguai.

— Faço o que o senhor mandar, quero muito esta vaga — emendou Silvestre. — Minha formação no exército me ensinou que missão dada é missão cumprida. — "Não importa quão estapafúrdia ela seja", pensou.

— Pois bem, vou analisar com carinho seu currículo e pesquisar seu histórico de postagens nas redes sociais. Prometo que em breve informaremos nossa decisão. Para terminar, existe alguma outra experiência que você gostaria de acrescentar e que por acaso não esteja listada aqui?

— Sim, tenho experiência na área de ciência e tecnologia. Fiz uma participação pequena, é verdade, mas muito proveitosa, no filme dos *Guardiões da galáxia*.

— Interessante... Quer dizer que você já esteve no espaço? Muito bom. Então me responda uma última coisa, só pra deixar registrado em sua ficha. Você que já teve a oportunidade de ver o planeta lá de cima, me diga com sinceridade... A terra é plana?

O INQUILINO E O ENTREGADOR

O inquilino do apartamento 702 (de um desses condomínios onde pessoas de classe média gostam de viver umas sobre as outras) já estava impaciente. Eram oito horas da noite de uma sexta-feira chuvosa e nada do pedido. Seus dois filhos reclamavam do atraso, ele reclamava do governo e sua esposa reclamava dos três, que só reclamavam e nunca faziam nada pra ajudá-la.

O entregador encarava a ladeira como um lutador de boxe encara seu oponente. A gasolina da bicicleta motorizada havia acabado há algumas horas, mas ele precisava bater sua meta diária. Talvez mais duas ou três entregas e suas pernas poderiam finalmente descansar. A capa de chuva conseguia manter sua roupa seca, mas o tênis estava ensopado. Ele respira fundo e começa a subir a ladeira.

O pai de família estava imerso em contas, mas parou para conferir a entrega no aplicativo.

— Já está a caminho! — gritou.

Os cálculos eram vários, mas o objetivo um só: faturar o máximo durante a pandemia. "Crises geram oportunidades", pensou. A empregada havia sido dispensada no mês anterior, o que gerava a economia de mil e duzentos reais, aproximadamente.

O ex-auxiliar de escritório perdeu seu emprego na crise e chegou a pensar em voltar para a casa dos pais, mas desistiu. Eles eram mais velhos e seria um risco desnecessário. Apesar dos chamados insistentes da mãe, preferiu se virar como entregador, ocupação que o ajudava a pagar as despesas. Ele tinha pavor de contas em atraso. O serviço era pesado como aquele morro, mas necessário para custear seu curso de Direito.

Não pagar a escola dos meninos foi outra decisão difícil, mas acertada. A economia mensal era de quase três mil reais, sem contar o dinheiro da merenda. Uma folga e tanto no orçamento. Lógico que havia o risco da cobrança de juros e multas, mas alguns amigos advogados afirmavam que isso seria ilegal tendo em vista a excepcionalidade do momento. A quantia poupada com as mensalidades e o salário da doméstica serviria para trocar o carro no final do ano.

— Alguém pode me ajudar a arrumar a mesa? — gritou a esposa.

Ele nunca quis ser advogado ou qualquer outra coisa do tipo. Só prestou o vestibular para agradar os pais, e acabou passando. De certa maneira, ele sentiu alívio quando suspenderam as aulas presenciais. Além do mais, a comodidade de assistir às aulas pelo celular liberou um pouco mais de tempo para as entregas. O incremento no salário aliado ao desconto — negociado a duras penas — de 15% na mensalidade ajudavam a atravessar o período de crise. Os gastos também diminuíram, pois o ciclista passava a maior parte do tempo livre estudando em casa, não havia mais festas ou bares. O máximo do hedonismo era jantar na casa da namorada aos sábados, onde, invariavelmente, dormia nos dias de folga. A rotina era exaustiva, mas superável — como a ladeira que ele acabara de subir.

O próximo passo seria diminuir o valor do aluguel de seu apartamento. O bom inquilino planejava cuidadosamente o que dizer ao senhorio:

— O senhor sabe a situação que estamos passando. A crise afetou todo mundo e comigo não foi diferente. Hoje a maioria dos proprietários está renegociando os contratos e eu poderia, se quisesse, alugar apartamentos similares pela metade do preço que pago aqui. Será bom para os dois lados.

O filho mais velho interrompe o ensaio:

— Pai, e a pizza?

O entregador estacionou a bicicleta pensando na amante, que era a gerente da pizzaria de onde ele vinha. Um amor de pandemia, daqueles que já nascem condenados. Logo, logo irão inventar a vacina e aquela febre terá seu fim. O que não cessa é a culpa que o invade especialmente aos sábados, enquanto sua namorada prepara o jantar. Ele sabe que está errado, mas não consegue agir, então come resignado.

O bom pai levantou-se irritado. Se ao menos pudesse visitar sua amante e fugir daquela panela de pressão por algumas horas, mas as desculpas acabaram. "Maldito home office!", pensou. É fato que já não pensava muito na amiga; com tantos problemas pra resolver... Tampouco pensava na esposa. Ele tinha um casamento estável, filhos famintos e uma planilha de Excel para preencher. Não sobrava tempo para reflexões.

O interfone tocou no exato momento em que o inquilino abria a tela do aplicativo para reclamar. Após alguns minutos, a porta do elevador se abriu e os dois homens se encontraram. O breve diálogo que aconteceu transcrevo agora:

— Faltou o refrigerante.

— Não enviaram refrigerante, só a pizza.

— Mas tá aqui ó, no pedido — mostra a tela do aplicativo, irritado.

— Ok, vou retirar o item da conta.

Seguiram-se as reclamações de praxe, as explicações de costume; e cada um foi pro seu canto.

Quando a família devorava as últimas fatias, o interfone tocou novamente. Era o entregador que tinha voltado para trazer o refrigerante. Ele tinha escutado a voz de decepção das crianças e não queria dormir carregando aquele remorso. O inquilino agradeceu, as crianças comemoraram e os dois se despediram pra nunca mais se verem.

Não me perguntem a moral desta história, nunca mais tive notícias daqueles dois. Impossível dizer quem foi mais feliz, ou mais sábio, ou útil à sociedade. Talvez o entregador tenha se tornado um advogado incompetente, do tipo que causa prejuízo às pessoas que confiam em seu trabalho. Quem sabe o inquilino também fosse advogado, ou cirurgião? Dos bons, daquele tipo que salva a vida do ciclista, que fora atropelado enquanto corria para encontrar sua amante que saía do trabalho.

Não, não sei nada sobre eles. Mas desconfio de que a humanidade se divida em apenas dois tipos de pessoas: as que julgam que devem algo à vida e as que pensam que a vida deve algo a elas.

O NOVO NORMAL

Vanda e Murilo acordaram cedo. Aquele não seria um dia qualquer, era o dia da retomada; talvez o mais importante desde a queda da Bastilha, ou do muro de Berlim. A grande diferença é que nada viria abaixo. Pelo contrário, naquela manhã as portas sanfonadas do shopping center se elevariam, permitindo a entrada de centenas de consumidores abstêmios.

Foram três meses de muitas incertezas, e a ansiedade de ambos durante o café da manhã era evidente.

— Quem sabe não seria melhor se fizéssemos um lanche por lá mesmo? Tenho medo de que não nos deixem entrar. Existe um limite de pessoas — disse Vanda, aflita.

Murilo engoliu rapidamente o pedaço de bolo que comia para lembrá-la de que as portas se abririam às dez horas da manhã. E concluiu:

— Ainda temos tempo, Vandinha. Se chegarmos com trinta minutos de antecedência, estaremos entre os primeiros.

Poucos minutos antes da reabertura, lá estava o casal, com suas melhores máscaras, no início da fila que se formara em frente à entrada principal do shopping. Uma pequena multidão, excitadíssima, mas comportada, respeitava as marcas que indicavam o distanciamento de dois metros. Funcionários com megafones davam os últimos detalhes dos procedimentos que seriam adotados, enquanto jornalistas entrevistavam os futuros consumidores. A pergunta era sempre a mesma: "O que você deseja comprar lá dentro?". As respostas eram várias: "Uma sunga", "Um vestido de festa", "Uma capinha de celular", "Não vim comprar nada, só queria sair de casa mesmo".

Os vendedores das lojas, que naturalmente tinham permissão pra entrar antes do horário, passavam ao lado da turba e eram ovacionados. Alguns paravam pra atender aos pedidos de selfie de seus potenciais clientes. Ambulantes — devidamente paramentados com luvas, gorros, máscaras — vendiam luvas, gorros e máscaras para os mais afoitos, que saíram de casa sem os equipamentos de proteção. Outros aproveitavam a aglomeração pra vender as mercadorias de sempre: água mineral, limpadores de para-brisa, álcool em gel... Havia um, mais inovador, que vendia coxinhas de casca dupla. A pessoa removia a primeira casca e a segunda, que vinha logo abaixo, estava completamente estéril, pronta pra ser consumida. Murilo até provou uma.

A fila começou a andar às dez horas em ponto.

— A pontualidade é uma característica dos países civilizados — comentou um senhor que estava logo atrás de Vanda, sem conseguir disfarçar seu orgulho.

Apesar de estar entre os primeiros, a dupla demorou cerca de meia hora para chegar à porta, pois todos que entravam tinham sua temperatura aferida por um senhor que parecia não saber manusear o estranho termômetro. A de Murilo marcou 22 °C, Vanda mediu 19 °C e o senhor orgulhoso, que vinha logo atrás, apresentou a incrível marca de 47 °C; e foi barrado.

Enquanto a dupla penetrava inebriada o hall iluminado, ouviam-se os gritos do senhor, agora revoltado:

— País de merda, que não valoriza seus aposentados, gente que deu seu sangue... — os gritos foram ficando inaudíveis à medida que o casal se distanciava, percorrendo os corredores de mãos dadas, apontando para as vitrines, gargalhando.

Na hora do almoço, os eternos namorados tomaram assento na praça de alimentação deserta, pois os restaurantes só abririam no próximo mês, e retiraram suas tupperwares da mochila — tupperware é a nova marmita. Enquanto se deliciavam com a macarronese preparada especialmente para a ocasião, um segurança se aproximou explicando que não era permitido permanecer naquele local. Eles prontamente se levantaram e terminaram seu festim com altivez, sentados no banquinho em frente à livraria. Saciados e refeitos, continuaram seu passeio pelas lojas, tentando esquecer que estavam desempregados, que pertenciam ao grupo de risco... Todas aquelas coisas maçantes que colocam qualquer um pra baixo.

O shopping já fechava as portas quando o casal finalmente saiu. Eles estavam plenos, esbanjando vigor e carregando suas sacolas com a desenvoltura de sempre. Dentro delas, artigos variados que seguiam as mais novas tendências, como o vestido floral de Vanda — floral é o novo preto — ou a bolsa de cortiça de Murilo — a cortiça é o novo couro.

Os dois acomodaram as compras no porta-malas do táxi e desapareceram no trânsito caótico daquele final de tarde.

O leitor mais cético, se conseguiu chegar até aqui, deve estar se perguntando sobre o absurdo desta história. E eu lhe respondo: o absurdo é o novo normal.

O AUTO DO COMPADECIDO

Lá. Não consigo achar uma expressão mais adequada para definir o local onde a cena deste julgamento acontece.

A data poderá ser adaptada a critério do diretor. Sugiro qualquer período entre a Idade da Pedra e o futuro longínquo.

O cenário também deve ser adaptado ao período escolhido. Pode ser um tribunal, uma igreja, um picadeiro de circo...

Personagens:

O Magnânimo: é quem dará o veredito. Pode encarnar a figura de um general, um magistrado, um grande empresário, ou simplesmente um "cidadão de bem". Age não como a definição exata da palavra magnânimo — pessoa que atua ou ajuda de forma desinteressada —, mas sim como alguém enfastiado e indiferente ao que se passa.

O Advogado: hiperativo. Não crê no que diz, e nem precisa, pois sua convicção vem de outro lugar que não a crença.

O Acusador: sujeito perspicaz e competitivo. De pensamento ágil e movimentos lentos, sabe exatamente aonde quer chegar.

O Messias: o réu deste julgamento. Ele pouco fala, mas sua presença é marcante e, de certo modo, desconfortável.

O Palhaço: é quem pontua e faz comentários à ação. Representa a figura do narrador. Durante as falas pode caminhar livre pela cena.

A Plateia: não é formada por meros expectadores. Ela também faz parte da ação. Já tem opinião formada e sabe que aquele julgamento é mera formalidade.

Abrem-se as cortinas.

O Magnânimo se encontra sentado em uma espécie de trono enquanto entram lentamente o Acusador seguido pelo Advogado que, não muito afeito a protocolos, começa a falar.

ADVOGADO: Excelência, não vejo necessidade de começarmos algo que já está resolvido. Meu cliente não fez nada de errado. Se o fez, foi na ânsia de acertar. Ele é uma pessoa voluntariosa e pode até pecar pela ação, mas nunca pela omissão.

MAGNÂNIMO: Entendo sua ânsia, mas precisamos ter alguma consideração com estas pessoas que vieram assistir, apesar das recomendações para que ficassem em casa. Prometo que tentarei ser breve, mas justo. Por favor, tragam o réu.

Messias entra acompanhado do Palhaço, encarando a plateia, às vezes encarando algumas pessoas que parece conhecer. Sua presença gera um claro desconforto em todos, inclusive no advogado.

MAGNÂNIMO: Senhor Messias, como prometi, pretendo ser breve. Desse modo, vamos começar com a primeira acusação. Com a palavra, o senhor acusador.

PALHAÇO: Ô homem ordinário! Conheço bem essa figura; acabou de se separar e está doidinho pra voltar pra casa e fornicar com a namorada nova. Vive dizendo aos amigos, de maneira reservada, claro, pois é um homem respeitado, que nem precisa da ajuda de tônicos. Dá conta do recado ao natural. E tem quem acredite... Imaginem, o homem é uma pelanca que só. Duvido que encare aquele docinho, na flor da idade, inundada de tônus muscular, assim, de cara limpa, com aquele negócio que mais parece uma salsicha viena.

ACUSADOR: Obrigado, Magnânimo! Para não tomar seu tempo, vou logo começando com a primeira grave infração cometida pelo senhor que se encontra agora em nossa frente. Está escrito: "Não tomarás o nome do Senhor teu Deus em vão". Pois bem, o réu é acusado de usar o nome do Senhor em várias situações as quais definitivamente não são condizentes com a grandeza "Daquele que tudo vê". Onde já se viu misturar o nome do Santíssimo com armas e munições? Ainda por cima em flagrante desvantagem? Imagine que cada cidadão deve respeitar seu Deus, que fica lá no alto, sozinho, acima de todos. Mas o réu deu, ao mesmo cidadão, o direito a possuir dezenas de armas de fogo e mais de cem mil munições por ano. Percebe a discrepância? A pessoa só pode ter um Deus, mas tem permissão para comprar sessenta revólveres e cem mil balas?

ADVOGADO: E quem disse que, se houvesse revólveres, rifles e munições na época em que Moisés recebeu os mandamentos, eles não seriam permitidos? Não foi Deus em pessoa que ordenou ao profeta que descesse da montanha e chutasse o pau da barraca, só porque seu povo estava bebendo e dançando em volta de um bezerro de ouro? Dizem que morreu muita gente na confusão. Qual é a diferença entre a morte por espada ou por arma de fogo?

PALHAÇO: Esse é tinhoso, faz pergunta que só pode responder quem já morreu.

MAGNÂNIMO: Pois bem, passemos à próxima acusação.

ACUSADOR: "Não dirás falso testemunho contra o teu próximo". Essa é uma das leis mais conhecidas e é desrespeitada a todo instante por este senhor e seus fiéis seguidores. Posso citar aqui a famigerada, me desculpe o linguajar, mas não há outro jeito, "mamadeira de piroca" — um breve silêncio constrangido, mas o Magnânimo faz um sinal para que o promotor continue. — Pois bem, ele e sua turma espalharam que este utensílio seria distribuído nas escolas como parte de um tal kit gay que serviria para ensinar uma tal de ideologia de gênero. Coisa de que todo mundo fala, mas ninguém consegue explicar o que é. Quer ver? Senhor Messias, o que é ideologia de gênero?

MESSIAS: Ué? Ideologia de gênero é ideologia de gênero. O nome já explica. I-DE-O-LO-GIA-DE-GÊ-NE-RO. Pederastia. Gayzismo. Uma pouca vergonha.

PALHAÇO: Esse é articulado igual porta sanfonada. Não fala lé com cré. O pior é que tem gente que é tão sabida, mas tão sabida, que diz entender tudo que o homem fala.

ACUSADOR: Não disse? Começam a repetir tanta mentira que nem sabem sobre o que estão falando! São pessoas que se dizem "de bem", mas não pensam duas vezes antes de espalharem as tais fake news. Sem contar a quantidade de comunistas que eles criam. Hoje, para ser chamado de comunista, basta ser comum, alguém que não se encaixe no perfil exótico da turma.

PALHAÇO: Me engana que eu gosto, prossequíutor. Não é assim que se fala lá nos States? E eu não sei que vossa senhoria também adora uma fofoca de zapzap? Não pensa duas vezes antes de compartilhar qualquer maluquice, daquelas que você até desconfia, mas torce com força pra ser verdade.

MAGNÂNIMO: É verdade que vocês falam todas essas mentiras?

ADVOGADO: É mentira! O que é verdade? Aquilo que está escrito nos livros de História? Nas revistas médicas? O que é dito pela boca de jornalistas ou das pessoas que passaram anos estudando determinado assunto — os chamados especialistas? Tudo que queremos é um mundo mais igualitário, onde todos possam ter suas opiniões. Não podemos desprezar as milhares de pessoas que aprenderam na antiga arte da orelhada. Como tolher a opinião do tiozão que acumulou toda sua sabedoria assistindo às videocassetadas do Faustão, depois de encher a pança com cerveja e macarronada? Que aprendeu Geografia vendo a Ferroviária de Araraquara jogar contra o Brasil de Pelotas? A sociedade não pode abrir mão de tanta expertise. E, para piorar, ainda inventaram o tal do "politicamente correto", que não passa de um artifício para censurar as piadas hilárias dos sessentões. Sabe aquelas, engraçadíssimas, sobre pretos que não cagam na entrada? Ou sobre bichinhas loucas e desmunhecadas? Cadê a liberdade de expressão? Nosso Messias não passa de mais um tiozão que às vezes fala umas besteiras, mas que no fundo tem bom coração.

PALHAÇO: Que poeta! As rimas pobres deixam os bolsos cheios.

MESSIAS: Se quiserem, eu posso contar aquela do traveco que...

MAGNÂNIMO: Não é necessário. Vamos nos ater aos autos. Tem algo mais a dizer, senhor acusador?

ACUSADOR: Tenho, excelência. Talvez a mais grave infração de todas. O réu cometeu um pecado capital... A avareza!

PLATEIA: Oooooohhh.

PALHAÇO: Aposto que não fazem a mínima ideia do que essa palavra significa.

ACUSADOR: Sim, senhoras e senhores, o acusado é um avarento. Desde o início desta pandemia, sempre esteve mais preocupado com a saúde das empresas que das pessoas.

PALHAÇO: Isso é verdade! Era sempre a mesma ladainha: 'As pessoas precisam trabalhar senão elas morrem de fome e coisa e tal'. Ora bolas, se a pessoa já morreu, como é que ela vai morrer de novo, ainda por cima de fome? Eu nunca morri, mas imagino que a primeira coisa que a gente sente depois que morre é vontade de cagar, não de comer. Se vamos desta para uma melhor, pra que levar toda aquela porcaria que a gente come aqui? É empadinha passada, pão dormido, ovo colorido. Quem é que quer levar esse tipo de coisa pro paraíso? Mesmo que fosse pro inferno... Imagina o revertério que deve dar um torresmo de barriga naquele calorão.

ADVOGADO: Mas como não pensar na economia? Se as empresas quebram, não tem trabalho; se as pessoas não trabalham, não comem; se elas não comem, morrem de fome. A preocupação do nosso Messias é a mesma dos nobres empresários: que as pessoas mais pobres tenham o que comer.

Nessa hora o Palhaço se joga no chão e dá aquela gargalhada típica dos palhaços. Se é que existe uma.

PALHAÇO: Essa doença é mais perigosa do que eu pensava: quando não mata, deixa a pessoa sentimental. Quando é que político e empresário se preocuparam com os pobres? Agora está um tal de: 'A parcela mais pobre da população pra cá, a parcela mais pobre da população pra lá. Enquanto a parcela mais pobre da população, ó... continua se estrepando, como sempre. E se estrepa à vista, não é parcelado, não.

ACUSADOR: Magnânimo, não temos sequer um ministro da saúde durante a crise sanitária. Dezenas de milhares de pessoas morrendo e não temos ministro da saúde! Ele só se preocupa com a própria família e os amigos.

PALHAÇO: Mas ele sempre disse que valorizava a família. De onde vem o espanto? E valoriza os amigos também, viu só? Inclusive anda muito preocupado com um que andava sumido, descansando na casa de outro amigo (como gente importante tem amigo!), quando foi admoestado pela polícia. Ninguém mais tem o direito de descansar em paz!

MESSIAS: Tenho um filho enrolado com um amigo que é cheio de rolo aí, poxa! É muito problema pra resolver.

ADVOGADO: O importante, Magnânimo, é que ele é o nosso Messias, que alguns chamam de Bessias, outros de Profeta. Não importa a alcunha, o sentido é sempre o mesmo. Seu nome deriva do hebraico *meshiha*, que significa "ungido", ou seja, a pessoa escolhida para levar seu povo ao paraíso.

PALHAÇO: Acho que esse Messias aí deriva é de outro idioma... Teve uma galega que foi morar uns tempos lá na minha cidade. Eu inclusive cheguei a ter um bom relacionamento com ela, sabe? Pois é, ela saía pra trabalhar toda feliz e me deixava em casa pela manhã. Quando voltava, era só reclamação. Nunca vi uma mulher mudar de procedimento tão rápido. De noite era um tal de 'ôu yes, ôu yes'. E quando voltava do trabalho, só sabia dizer 'it's a mess, it's a mess'. Foi aí que eu aprendi que 'mess' significa bagunça. Esse tal Messias aí não conduz ninguém ao paraíso, não; ele veio foi pra fazer confusão.

O juiz olha de relance o celular e retoma a palavra.

MAGNÂNIMO: Tendo em vista o adiantado da hora e os bons argumentos apresentados pelas partes, acho que já posso proferir minha decisão. Tomado por um espírito democrático, ao qual se assoma a comoção gerada por esse flagelo que é a pandemia, decido... não decidir esta peleja. Prefiro, num gesto simbólico bem apropriado ao momento, lavar as mãos e deixar a decisão com o povo. Quem gritar mais alto terá a razão.

Ele então se levanta, lava as mãos em uma bacia trazida pelo Palhaço, que também lhe entrega um comprimido, ingerido disfarçadamente. Sem olhar para a plateia, sai apressado e desaparece pela coxia. As luzes se apagam, restando apenas um foco em cima do Palhaço.

PALHAÇO: Gente graúda é assim: o homem recebe um nude, fica todo assanhado, não decide nada, sai por aí desembestado, ninguém entende necas... E ainda assim é capaz de ser aplaudido no final!

A PERGUNTA

O cavalheiro estava em apuros, tentando explicar algo parecido com a teoria da relatividade, quando veio a pergunta que o deixou em silêncio:

— Ele pulou o muro… apareceu voando na casa do senhor? — A jornalista queria entender como o dono do imóvel não sabia da existência de um meliante que havia sido preso em sua casa, onde estava escondido há meses. Se eu pudesse vender um conselho ao nobre proprietário, que tão moço realizou o sonho da casa própria — e tão cedo entendeu que o melhor da vida é compartilhar seus sonhos —, eu lhe diria: "Não se intimide com perguntas impertinentes, elas nos levam a lugares inimagináveis". Eu, por exemplo, estou lidando com uma questão que não me sai da cabeça: o tomate é uma verdura ou uma fruta?

Me debruço sobre o assunto há alguns dias, consulto livros, assisto a documentários, converso com amigos. A argumentação é vasta e vária. Um amigo, que tem o sugestivo apelido de Pão Doce (sem dúvida, um carboidrato), afirmou categoricamente que o tomate possui sementes, portanto é uma fruta; um outro, que participava da conversa, rebateu, dizendo que nunca viu tomate em salada de fruta, observação que achei pertinente. Folheando um livro de botânica, aprendi que frutos são estruturas que surgem do amadurecimento do ovário das plantas, que é o caso do tomate. Por outro lado, do ponto de vista nutricional, o tomate é considerado um legume, pois não é rico em frutose.

A discussão mais lúcida que presenciei sobre o assunto se deu em um desenho animado, o genial "Irmão do Jorel". Em certo episódio, um personagem diz que não existe picolé de tomate, o que provaria que se trata de um legume; o outro rebate:

— Mas existe suco de tomate, então é fruta.

Um terceiro vaticina:

— Pode ter suco, mas o gosto é horrível! É legume!

A polêmica chegou a ser analisada pela Suprema Corte dos Estados Unidos, pois quem provasse da iguaria no Tenessee estaria saboreando uma fruta, enquanto o habitante de Nova Jersey que comesse o mesmo produto se deliciaria com um legume. Parece que venceu a teoria do legume. Nesse caso — vendo-lhe outro conselho, senhor proprietário —, é melhor seguir a lei.

Lembro-me de outras perguntas emblemáticas que marcaram minha vida, me transformando em uma pessoa melhor. Todos os domingos, minha família se reunia em frente à tevê para ouvir o Silvio Santos dizendo "Qual é a música, Pablo?". O Pablo se virava — mostrando o rosto colorido pela maquiagem extravagante, de gosto duvidoso até mesmo para os padrões dos anos 1980 —, balançava seus cabelos loiros e começava a dublar a canção que os artistas participantes não conseguiram adivinhar. Mesmo aqueles tarimbados no jogo, como Jessé, Gilliard ou o Trio Los Angeles, vez ou outra deixavam escapar o nome de uma música e lá vinha o Pablo cantando: "Uuuuhh gato preto cruzou a estrada...". Aliás, Silvio sempre soube valorizar as perguntas. Seu programa era recheado delas: "É namoro ou amizade? Quem quer dinheirooo? Roque, cadê o Roque?". Vejam quanto dinheiro podemos ganhar simplesmente fazendo perguntas.

Sei que você, feliz dono de casa, ficou constrangido com a pergunta da repórter; não precisava. Você faz parte da categoria dos autoproclamados "homens de bem" que agora, felizmente, existem aos montes por aí. Pouco importa se o meliante morava na sua casa, comia o tomate da sua horta ou assistia ao programa do Silvio Santos em sua televisão. O importante é que você, homem de bem, temente a Deus e defensor da família, ajudou um pobre cidadão brasileiro, pertencente ao grupo de risco, escondendo-o não só da polícia, mas principalmente dessa doença que nos espreita.

Afinal, o importante é fazer o bem, sem se perguntar a quem.

FALSO PROFETA

Nunca fui muito bom em muita coisa, mas se tem algo em que definitivamente não me destaco é fazer previsões. Quando percebo, já fui atropelado pelo acontecido. Mal consigo usar meus cinco sentidos, que dirá o sexto. Pelo fato de aproveitar boa parte do meu tempo simplesmente para ficar quieto, alguns pensam que sou observador, mas é só banzo mesmo.

Quando pequeno, via meu pai fazendo contas, pedindo contas, pagando contas... e jamais, nem no pensamento mais remoto, imaginei que um dia faria o mesmo. O que me conforta é saber que esse dia raiou não só pra mim, mas para todos os alunos da sala da tia Alzira, que, como eu, brincavam na caixa de areia, faziam rabiscos com giz de cera e comiam massinha. A conta chega pra todo mundo. Sei que é um sentimento ruim, mas é bom saber que não nos estrepamos sozinhos.

Nunca fui muito bom em ser bom.

Tenho inveja do sujeito que certa vez olhou para o telefone que ficava em cima da mesa da sala, preso a um fio que saía da parede, e conseguiu antever que algum dia as pessoas poderiam circular com ele por aí, falando distraídas enquanto esperam o ônibus que não chega nunca ou resolvendo assuntos de trabalho durante a sessão de cinema. Invejo o visionário que foi além e previu que, pouco tempo depois, raramente usaríamos os celulares em conversas, mas sim para compartilhar experiências, opiniões e notícias falsas. Houve também outras pessoas, igualmente invejáveis, que um dia vislumbraram smartphones pedindo comida, fazendo transferências bancárias e tocando músicas. Me lembro do cara do Wilco cantando "Nossas histórias cabem em telefones", e sinto inveja desse verso também.

Mas o que me impressiona mesmo é a quantidade de analistas fazendo previsões sobre como será o mundo depois desse vírus. Já ouvi gente dizendo que nos tornaremos pessoas melhores, mais preocupadas com o outro e com o planeta. Chegaram a criar uma fusão estranha entre duas palavras para explicar esse novo estágio da humanidade: gratiluz. Não faço ideia do que isso significa (meu corretor ortográfico também não), mas me traz a sensação gostosa de que, finalmente, a civilização tomará um chá de camomila e correrá pra debaixo do cobertor.

Existem os mais céticos, que acreditam que sairemos da pandemia piores do que entramos: mais individualistas, menos empáticos, avessos ao contato, resistentes ao globalismo, intolerantes à diversidade, ao glúten, à lactose, à proteína animal... Será que dá pra piorar tanto? Pra essas pessoas, talvez já vivêssemos em estado de gratiluz e não sabíamos.

Outra profecia interessante foi a que li em um jornal. A matéria falava sobre as profissões que iriam acabar, as que surgiriam, outras que permaneceriam requisitadas. Dizia também que as pessoas iriam morar perto do trabalho, trabalhar em casa, usar menos o transporte público... Como se a maior parte das pessoas pudesse escolher onde trabalhar ou morar. Como se boa parte das pessoas soubesse ao menos ler o que estava escrito naquela matéria.

Vendo tanta gente especulando, resolvi dar meu palpite também; mas, se acaso eu errar, não me cobrem depois. Nunca fui muito bom em acertar as contas.

Eu acho que, se esse vírus demorar demais a ir embora, nós o abandonaremos. Em breve ele será apenas um mal-estar que, vez ou outra, aparecerá para nos lembrar de sua existência, como aquela azia depois da feijoada. Nossa incrível capacidade de aparar as arestas vai dar acabamento a essa nova imperfeição. Iremos nos acostumar com mais uma mazela, assim como nos adaptamos aos acidentes de trânsito, às balas perdidas, à fome...

Se não houver vacina, o remédio já está aí: a nossa resiliência.

CONVERSANDO COM PAREDES

As pessoas costumam fazer coisas esquisitas. Por isso nenhuma de nós estranhou quando de repente ele começou a nos dirigir a palavra. A princípio, imaginamos que seria algum sistema novo de telefone, com fones sem fio (mais uma dessas modernices que eles inventam pra ir passando o tempo enquanto envelhecem). Mas depois percebemos que o papo era conosco.

A primeira a notar foi a parede da cozinha, que fica logo ao lado do fogão. O morador estava esquentando seu almoço quando disse em alto e bom som:

— Quando isso acabar, eu vou comer um churrasco.

Foi uma frase prosaica, quase um suspiro, daquelas que saem nas conversas com os botões que pessoas que moram sozinhas costumam travar consigo mesmas. Nada que não fosse rotina para a velha parede, talvez a mais antiga do apartamento, que havia passado por várias reformas e abrigado as histórias de tantos moradores. Outras vieram abaixo, mas aquela era estrutural e permaneceu intacta, desde que foi erguida em meados do século passado pelo Joaquim, servente de pedreiro muito requisitado na época.

Logo no início, ainda sem o reboco, já começamos a escutar as primeiras arengas dos incansáveis operários que levantavam aquele prédio. Foi com eles que conhecemos o desprezo, descobrimos os amores e aprendemos piadas sacanas. Ainda naquele período inicial, sofremos o primeiro trauma ao ouvir o grito de Joaquim, seguido de um estampido seco. Ele havia caído de um andaime suspenso no décimo andar. Pobre Joaquim.

Depois veio o primeiro casal de moradores que, apesar do afeto, não era de muita conversa. Mas tinham uma televisão, e mais tarde tiveram um filho também, que impedia que o ambiente se tornasse um verdadeiro tédio. O menino cresceu e foi trabalhar em outra cidade, mas a tevê continuou na sala, quebrando o silêncio.

O rapaz sempre retornava à casa dos pais no período de férias. No início, sozinho; depois, com a namorada, que em seguida virou esposa. O ambiente só se transformaria mesmo com a chegada da netinha, que também passava o fim de ano na casa dos avós. Durante aquelas poucas semanas, aprenderíamos todas as histórias contadas pelo vovô e as centenas de receitas ensinadas pela vovó. Um dia, quando a menina já era adolescente e ajudava sua avó a preparar a ceia de Natal, sempre ali, ao lado do fogão, a experiente parede aprendeu também que tudo passa, ouvindo os gritos da garota que tentava acudir a velhinha que sofrera um infarto fulminante. O velho morreu uns meses depois, em silêncio.

Aquela, e todas as outras paredes deste apartamento, entre as quais me incluo, já presenciamos de tudo. Fomos testemunhas de discussões intermináveis, conversas amáveis, grunhidos indecifráveis... De modo que, quando aquele novo morador começou a soltar algumas frases desconexas aqui e ali, reagimos com naturalidade. A ficha só caiu no dia em que ele disse, olhando fixamente em minha direção (sei que era pra mim, pois, apesar de ficar na sala, não possuo quadros ou qualquer outro ornamento):

— Tenho certeza de que isso tudo que está acontecendo é coisa da maçonaria.

Fiquei em choque; ele estava conversando comigo.

E não foi só comigo. Todas nós começamos a conviver diariamente com aqueles comentários estranhos. Teorias mirabolantes sobre a China, descrições de remédios milagrosos... Os assuntos eram intermináveis e esquisitos. É verdade que ele não falava só conosco; também gravava vídeos, áudios e os postava em suas redes sociais. O estranho é que as pessoas respondiam. Algumas com felicitações, pois ele tivera a coragem de dizer verdades escondidas por forças malignas; outras, o interpelando com censuras e ordenando que ele fosse estudar História, Sociologia, Medicina... Havia ainda aquelas que o insultavam e depois defendiam suas próprias teorias da conspiração. Era uma festa. Todos frenéticos, muitas vezes se repetindo, falando coisas sem sentido, respondendo perguntas com outras perguntas.

    A confusão era tanta que até mesmo nosso morador foi se cansando e parou de interagir, deixou de falar inclusive conosco, mas tenho certeza de que ele ainda nos escutava. Os banhos cessaram; as idas ao supermercado, que já eram raras, também. A barba crescia, a sujeira se acumulava, o pijama não saía do corpo. Alguns parentes o visitavam, davam conselhos, traziam comida, mas ele permanecia calado. Um dia, veio uma senhora acompanhada de dois sujeitos fortes — ambos vestidos de branco — e, finalmente, o convenceram a sair. Após alguns minutos, depois de enfiar umas poucas mudas de roupa na mochila, ele já estava pronto pra deixar o apartamento.

    Na porta, antes de ir embora pra nunca mais voltar, ele empacou, levantou os olhos e me disse com firmeza:

    — Você sabe que eu sei.

OS SONHADORES

Estava em casa um dia desses quando...
Tá bom, eu sei que iniciar um texto com frases assim é algo de gosto duvidoso. Agora então, quando fico em casa todos os dias, deixa de ser só uma questão estética. É perder a noção do ridículo. Mas a ideia de pensar que eu poderia estar em casa apenas um dia desses e não todos os dias me deu uma sensação boa. O autoengano como autodefesa.

Mas eu dizia... Eu estava em casa quando o telefone tocou:
— Alô?
— Alô? Alexandre?
— Sou eu, quem fala?
— Tudo bem?
— Tudo bem, quem está falando?
— Aqui é o Max.
— Não conheço nenhum Max.
— Temos uma oferta imperdível para o senhor.
— Olha, não estou intere....
— São quarenta megas de internet e mais de duzentos canais, incluindo o Brasileirão e o...

Só então fui entender que eu estava falando com uma gravação. O Max era um robô com a voz igualzinha à do Luciano Huck. Me senti envergonhado. Não por ter conversado com um robô, mas porque lá no fundo fiquei com uma ponta de decepção por não ser uma espécie de pegadinha do Luciano. Tem acontecido tanta coisa maluca, tenho lido tanta coisa sem sentido, tem tanta gente tantã, que não me surpreenderia se eu recebesse uma ligação desse tipo.

Outro dia mesmo recebi um texto, no grupo de pais da escola dos meus filhos, em que o sujeito (vou chamá-lo de Zé Carlos) dizia que haviam encontrado a cura dessa doença dos infernos. A mensagem vinha enfeitada por um monte de emojis de palminhas que a deixavam ainda mais convincente. Lá no final ela trazia o link para um site que ensinava que um determinado vermífugo tomado diariamente, com água, em jejum, logo pela manhã, nos deixaria imunes ao vírus. É claro que ainda me sobrou um restinho de bom senso e por isso não fui correndo à farmácia comprar aquela bênção em comprimidos; resolvi esperar para ver se a dica era quente mesmo.

Uma semana depois, recebi a notícia de que o Zé Carlos estava internado na UTI. Pobre Zé, conheço sua dor, ambos sofremos da doença do autoengano. Eu penei por ter pensado que conversava com o Luciano Huck quando, na verdade, dialogava com uma gravação automática. Você agora pena por ter acreditado na automedicação. Se pelo menos a soma de dois autoenganos desse um acerto...

Pessoas como o Zé e eu passam pela vida atormentadas pelos seus sonhos. De onde vem tanto desejo?

Somos sonhólatras, mas hoje o correto é nos chamar de sonhadores — é menos estigmatizante. Alguns confundem isso com ganância, mas é diferente. O ganancioso corre atrás dos seus desejos, nós somos perseguidos por eles. Os sonhos nos invadem sem pedir licença. Não precisamos realizá-los, eles nos realizam. Os gananciosos buscam conquistas, já os sonhadores, quando muito, apenas sofrem com o autoengano.

Mas não pensem que os sonhadores são todos iguais. Os sonhos são como vírus: precisamos ser suscetíveis a eles. Aquele do Zé Carlos, por exemplo, não fez nem cócegas em mim. De outra maneira, sou acometido por outros, menos beligerantes, mas igualmente grandiosos. Sonho ouvir os Rolling Stones tocando *Umbabarauma* no Circo Voador lotado; comigo na primeira fila. Sonho escutar o Caetano Veloso cantando *Unicórnio azul* (de Silvio Rodríguez) ou *Pobre meu pai* (de Sérgio Sampaio) numa noite de céu aberto, sentado na grama lá da Praça do Papa.

Quem sabe um dia desses...

O INVERNO DO LEBLON

Ele parecia um correspondente de guerra; usava os equipamentos de proteção enquanto se movia com agilidade, procurando o melhor ângulo para mostrar a cena. O confronto se desenrolava em uma área do Leblon com grande concentração de bares — e agora de pessoas que, pela primeira vez em três meses, voltavam a frequentá-los.

Aqueles notívagos, apesar da aparência descontraída, eram gente perigosa. Estavam presos em suas casas há tempos, submetidos ao estresse, rosnando impropérios pelas redes sociais e sendo alimentados com cerveja e bolinhos de bacalhau — deixados em suas portas por entregadores ressabiados, que batiam a campainha e saíam correndo, temendo os ataques, que eram cada vez mais frequentes.

Um repórter em início de carreira poderia facilmente se distrair com toda aquela alegria de botequim, mas ele tinha experiência: havia sido correspondente em Kosovo, coberto a Primavera Árabe e não seria aquele Inverno do Leblon que o faria baixar a guarda. O que acontecia ali parecia apenas divertimento, mas aqueles boêmios não estavam só bebendo e conversando; eles estavam em uma batalha contra o vírus. O bebum inconveniente, os casais de namorados, a velha turma da faculdade, os solteiros à procura de um match... Ninguém era o que parecia.

Caminhando com cuidado por entre as mesas dos bares e os grupos que se formavam na calçada, o jornalista começou a fazer perguntas pra tentar desvendar o que se passava na cabeça dos insurgentes.

— Por que você resolveu sair pra um bar no meio de uma pandemia?

— Não dava mais pra ficar em casa. O que esse vírus quer é espalhar o terror e nos deixar acuados.

— Se fizermos sua vontade, é aí que ele sai vencedor — falou o rapaz que improvisava sua bandana como máscara toda vez que um fiscal se aproximava.

— E você não tem medo? — insistiu o jornalista.

— Se eu tiver que morrer, vou morrer lutando. Eu já perdi tanta coisa nesta vida: a namorada, a data de inscrição no Enem, a carona pra faculdade. Não vai ser essa doença que vai me derrubar.

Bem em frente à porta do estabelecimento havia uma turma de amigas que tentava, em vão, conseguir uma mesa de oito lugares.

— Vocês sabem que a orientação é evitar aglomerações. Qual é o motivo pra tanta gente junta?

— É aniversário da Rebeca! — uma moça ruiva, que ostentava seus lábios recém-preenchidos, se apressou em dizer. — Ela está fazendo vinte e cinco anos, acredita? Com essa cara de menina... E justo no dia da reabertura! Foi um sinal divino. Quando soubemos disso na semana passada, deixamos tudo combinado. Só nos esquecemos de reservar a mesa. Ninguém imaginou que estaria tão cheio.

— Mas não tem problema — disse a aniversariante, já mostrando sinais claros de embriaguez. — Nós vamos fazer a festa aqui fora mesmo. Estávamos enjauladas há tanto tempo que quando aquele cardeal lá... o que virou prefeito... o Richelieu! Quando ele liberou, nós, que fomos sempre uma por todas e todas por uma, decidimos que era a hora de sair e mostrar que juntas somos mais fortes.

Palavras com muitos ésses e éfes, pronunciadas por uma pessoa bêbada, geram grande quantidade de aerossol, mas o repórter, além de experiente, era ágil, conseguia antever as palavras mais perigosas e se desviava dos perdigotos com habilidade.

— É isso aí, Rê!!! Falou tudo — disse a ruiva, pegando novamente o microfone.

— O inimigo quer nos separar pra conquistar. Por isso hoje nós vamos ficar tão juntinhas que esse vírus não vai encontrar espaço pra entrar. Vem, migas, vamos dar um abraço coletivo em homenagem à Rebeca!

Elas se juntaram em uma roda, começaram a cantar *As metades da laranja* e o entrevistador, de modo prudente, resolveu se afastar antes que chegasse a parte do "Estou morrendo de vontade de você". Ele então se aproximou de um casal que parecia entediado.

— E vocês, se arrependeram de vir pra rua? Chegaram à conclusão de que era melhor ficar em casa?

— Nem um pouco — o rapaz respondeu. — Melhor se aborrecer aqui fora, tomando um pouco de ar puro, do que ficar chateado dentro de casa.

— É que ele é muito ciumento — disse a mulher. — Agora está emburrado porque aquele garoto da bandana veio me pedir fogo e depois agradeceu sorrindo. É patológico. Até confinado dentro de casa ele consegue um jeito de se enciumar. Bastava aparecer um especialista falando na televisão que ele trocava o canal, só assistia se fosse mulher. Ficou com ciúme do ministro da saúde... os três! Até desse último aí, o fantasma que ninguém vê.

— Yo no creo en ministros de la salud, pero que los hay, los hay — retrucou o companheiro.

— A pior crise de todas foi quando ele brigou comigo porque eu curti a foto do ex-ministro da educação em uma lanchonete no exterior, vê se pode? Com ciúme do ex! Ainda tentei me explicar dizendo que não gostava mais dele, que ele era um traste sem compromisso, que, além de não assumir suas responsabilidades, deu no pé assim que teve a primeira chance. Disse a ele que curti porque ele estava bem longe daqui e ainda por cima se entupindo de fast-food, mas meu marido não entende e quase morre por uma besteira dessas. Ciúme mata mais que esse vírus!

Naquele momento, em resposta aos fiscais que tentavam dispersar a aglomeração, as amigas de Rebeca pararam de cantar Fábio Júnior e começaram a entoar outra música, agora de protesto, que mais tarde se tornaria a canção-símbolo daquelas manifestações. Uma canção ameaçadora, com imenso potencial de dispersão de gotículas. Em questão de segundos, as meninas já eram acompanhadas por uma pequena multidão, que cantava em uníssono: "Comprei um saco de farinha, pra fazer farofa, pra fazer farofa, pra fazer farofa fá fá…".

Os fiscais correram pra se proteger, os jornalistas se esconderam atrás das câmeras e os boêmios beberam e se abraçaram, e todos cantaram aquele hino até alta madrugada, desafiando o vírus a sobreviver no meio de tanta estupidez.

CRÔNICA DE PROTESTO

A quarentena nos privou de muita coisa e a privacidade foi uma delas. O senhor sabe que as novas ferramentas de comunicação nos tiraram a paz. Somos invadidos diariamente por lives, videochamadas, webinars (não me pergunte o que isso significa, mas posso afirmar que já participei de vários). Eu que sempre fui um amante da sensualidade insinuante das mensagens de texto (as sucintas) e das conversas telefônicas (as breves), hoje sou obrigado a conviver com a exposição quase pornográfica das redes sociais.

Não pense que sou mais um amargurado amaldiçoando a internet, até admiro (e invejo) quem se diverte com ela, só nunca consegui entender por que alguém, exceto minha mãe, se interessaria pela comida que eu como, pela roupa que eu visto ou onde estive e com quem. Imagine então alguém se interessando pelo que eu penso? Da mesma maneira, nunca tive curiosidade em saber o que os outros fazem, ou pensam. Mas não me entenda mal, tenho apreço por gente. O problema é que eles geralmente omitem a melhor parte. Acredite em mim, adoro ouvir histórias mirabolantes ou pensamentos originais, só peço que me poupem dos detalhes. Não quero saber se a pessoa tomou o café pela manhã em uma xícara de porcelana ou de vidro. Não quero saber nem se ela tomou café pela manhã. Se uma história não é interessante o suficiente pra ser contada em uma mesa de bar, com certeza também não será em um post.

Mas minha reclamação não é contra os rapazes do Vale do Silício que criaram a hiperconectividade. Minha queixa é direcionada à engenharia moderna, que ergue os edifícios habitados pela classe média menos remediada. A tecnologia empregada na construção desses prédios, assim como fez a internet, revolucionou a comunicação neste início de século. Sei que o senhor não tem culpa — é apenas o proprietário —, mas hoje as paredes parecem construídas com amplificadores em vez de tijolos. Não existem mais segredos de família; agora eles atravessam as divisórias como fantasmas e vão assombrar os ouvidos dos vizinhos.

É exatamente o que vem acontecendo comigo nos últimos meses. Vivo assombrado por vozes. No princípio achei que era apenas loucura, mas depois percebi que era pior; elas vinham do apartamento ao lado.

Talvez eu não tenha percebido antes porque passava pouco tempo em casa. Mas agora que não saio dela, a ladainha daquele morador da unidade vizinha se tornou insuportável. Sabe aquele que mora com a esposa? Pois é, as queixas se iniciam logo pela manhã:

— Um dos poucos prazeres que eu tinha na vida era poder tomar meu café com um pão fresquinho saído do forno da padaria, mas agora tenho que engolir esse pão dormido...

A coitada da mulher nunca se cansa de responder sempre a mesma coisa:

— Meu bem, é perigoso ir à padaria todos os dias, vamos ter que aguentar mais algum tempo.

Poucas vezes ouvi alguém com tanta capacidade de se aborrecer. Ele se chateava com os filhos que haviam saído de casa e pouco voltavam pra visitá-los; se irritava com o home office e vociferava que "esse negócio de trabalho remoto é coisa de malandro, que não gosta de pegar no batente", e continuava até que sua companheira o acalmasse, lembrando-o de que ele estava aposentado há três anos; reclamava de um outro vizinho que escutava Fagner todo sábado à noite e arrematava a censura dizendo que "se ainda fosse o Belchior, aquele sim era um cantor de verdade!". A esposa, sempre em tom conciliador, relativizava:

— Meu bem, os dois são talentosos, cada um no seu estilo.

O homem arrumou um jeito de protestar até contra os protestos. Sabe aqueles que vinham acontecendo contra e a favor do governo?

— Essas pessoas se arriscam indo às ruas a troco de quê? Será que elas não sabem que os governos são todos iguais? É sempre assim: a esquerda nos fode enquanto nos diverte, já a direita se diverte enquanto nos fode. O final desse filme (pornô) é sempre o mesmo, eles só trocam os atores.

E a santa emendava:

— Deixa eles, meu bem, são jovens, ainda têm muito o que aprender.

Mas o que me fez vir aqui lhe devolver as chaves (e tenho certeza de que o senhor compreenderá) foi perceber que aquelas reclamações não são apenas fruto do estresse do isolamento, elas são uma característica daquele sujeito, e não existe vacina pra isso. Ele não consegue relaxar nem em seus raros momentos de descontração. Veja o senhor que ontem, quando o casal parecia estar no bem bom, cheios de ais e uis, bem na hora do clímax ela começou a gritar:

— Meu bem, meu bem!

E o chato retrucou:

— Que outros cantores chamam baby, que outros cantores chamam baby!

LUGAR DE FALA

"Eu já estive em muitos lugares", mas o local de onde falo agora é o engarrafamento. Pra ser mais específico, estou parado aqui na avenida Amazonas, tentando voltar pra casa depois de uma manhã daquelas.

Há muito parei de imaginar soluções para esse trânsito infernal. Já pensei em linhas de metrô cortando os morros da capital — como as cruzes na bandeira do Reino Unido —, cheias de belorizontinos andando debaixo da terra feito formigas, mas era muito caro. Já vislumbrei a cidade coberta de viadutos que ligavam um extremo a outro e por onde os veículos percorreriam grandes distâncias sem sinais, lombadas e sem pedestres, mas era muito feio. Cheguei a fantasiar que, no futuro, ruas vazias dividiriam seus trajetos com ciclovias abarrotadas de bicicletas coloridas, algumas delas motorizadas, para as pessoas que precisassem vencer grandes distâncias (ou ladeiras cruéis), mas era muito barato.

Sem conseguir resolver o problema de todos, decidi amenizar o meu. Não é assim que fazem as pessoas civilizadas? Percebi que com um bom aparelho de som — e a música certa — não havia engarrafamento capaz de me tirar do sério. E desde então é assim que me protejo dos aborrecimentos enquanto percorro as *via crucis* dessa "roça grande", que é como meus conterrâneos chamam esta cidade quando querem elogiá-la ou criticá-la. O mineiro geralmente é sucinto. Mas o fato é que, mesmo sendo breves, conseguem produzir filas enormes, como a que enfrento agora.

A sorte é que escolhi muito bem minha companhia durante aquela procissão que se arrastava; um senhor que desde moço já exibia longos cabelos e barba brancos, Leon Russel. O sujeito era um grande pianista e um compositor inspirado que, antes de se lançar em carreira própria, trabalhou como músico contratado em várias gravações que se tornariam clássicos. Dizem que é dele o piano ouvido em *Strangers in the night*.

Ali, parado no trânsito, escutando uma de suas canções — *A Song for You* —, o que me chamava a atenção não era sua competência ao piano, mas sua respiração. Um sibilo ofegante ouvido entre os versos poderia ser percebido por alguns como uma deficiência técnica, mas era justamente isso que tornava aquela canção (que no fundo era um pedido de desculpas) convincente. Ele provavelmente sabia que não há nada mais ridículo do que um canastrão pedindo desculpas.

E foi ainda impactado pelo som da respiração do cantor que percebi o motivo daquele engarrafamento: alguém tinha parado de respirar. Era um motoboy que havia sido esmagado por um caminhão de mudanças. Seu corpo estava estirado no asfalto e seus olhos vidrados observavam fixamente sua entrega: algumas marmitas que jamais chegariam à mesa de quem as pediu. Perdi o fôlego.

É impressionante como tudo se resume à respiração. Os artistas sabem disso... os bons.

Leon Russel sabia, e aquela música era a prova. Mas, ao contrário da canção do pianista, não dedico esta crônica a você, que provavelmente desconfia da veracidade da história que acabei de contar. Também não a ofereço ao motoboy, para quem ela agora já não serviria mais de nada. Tampouco a consagro ao motorista daquele caminhão que (atormentado pela tragédia) certamente não a leria com o devido interesse.

Dedico, sim, à consternada família que hoje ficará sem seu almoço.

Ali, sentados à mesa, eles nem desconfiam de que a vida lá fora ainda respira ruidosa. Ali, confinados e famintos, eles provavelmente jamais saberão que um dia houve um motoboy; ou que ainda há você, e eu, e as canções do Leon Russel.

CURRICULUM VITAE

Sempre tive muita dificuldade em falar de mim; é difícil tocar em assuntos delicados. Existem algumas coisas, ou pessoas, que é melhor deixarmos quietas. Mas me solicitaram um currículo atualizado e, como não sei dizer não, ainda mais em tempos bicudos como esses, preferi obedecer.

Sou uma pessoa simples, mas não é aquele "simples" que as pessoas sofisticadas gostam de dizer que é difícil. É simples mesmo. De simplório. Tenho a profundidade de uma piscina de bolinhas. Se alguém quiser saber o que se passa na minha cabeça, é só chegar perto e olhar. Talvez por isso eu esteja empacado nesta primeira linha, sem conseguir nada interessante pra dizer. Eu até bolei uma breve introdução à minha pessoa, o problema é que ela também me concluiu: sou alguém que só quer sair vivo dessa.

Só isso, o resto é encher linguiça.

Esse é um sentimento que me acompanha há tempos e não tem nada a ver com a maldita pandemia, veio muito antes; é algo que me ocorre desde menino. Sabe aquela sensação de ter aprontado e saber que a mãe pode chegar a qualquer momento e descobrir? O básico é isso, o resto é penduricalho. Se alguém pretende saber quem eu sou, não precisa pegar a estrada de Santos; é bem menos complexo (e perigoso).

Seria melhor pra todo mundo se os currículos pudessem ser resumidos em uma frase (ou duas, caso a pessoa seja muito experiente). O candidato não seria obrigado a sofrer o constrangimento de relembrar aquele emprego horroroso, que não lhe acrescentou nada além de uma gastrite e alguns cabelos brancos. Já o profissional de Recursos Humanos não perderia tanto tempo para acabar contratando uma pessoa que, no fundo, era como todas as outras: alguém que já teve muitos empregos ruins, e agora conseguiu mais um.

Mas os empregadores se interessam por detalhes insignificantes e somos obrigados a contá-los. Onde foi sua formação? Qual é a sua experiência? Perguntas protocolares. Eu me sentiria mais estimulado se algum contratante me pegasse pelos ombros (sacudindo vigorosamente) e me perguntasse em alto e bom som: "O que você quer da vida, meu filho?".

Enquanto as coisas não mudam, só me resta procurar uma maneira interessante de contar uma história enfadonha — que é o segredo do bom currículo. Existe toda uma ciência pra isso. Só não vale inventar. Recentemente, um candidato a uma vaga cobiçada resolveu acrescentar algumas fantasias em seu histórico e acabou se dando mal. Todo mundo mente, mas ser pego na mentira continua sendo algo constrangedor, mesmo com o progresso que experimentamos nos últimos anos. Podemos florear com palavras vagas algo em que não nos destacamos, mas nunca mentir. Por exemplo, se o postulante à vaga só domina aquele inglês de fast-food, ele está plenamente autorizado a dizer que possui inglês intermediário (que significa qualquer coisa entre pedir um milk-shake e recitar com autoridade um poema de Lord Byron).

Não consigo pensar em algo menos eficaz pra se conhecer alguém do que ler seu currículo. No futuro, quem sabe, talvez eu possa me apresentar com algo mais ou menos assim:

Alexandre Azevedo seguiu o caminho de quem envelhece: foi uma criança impetuosa, um adolescente ressabiado, para depois se tornar um adulto inseguro. Era um promissor centroavante nos tempos do Boa Vista Futebol Clube, mas acabou optando pelo juramento de Hipócrates. Agora jura de pé junto que é, também, escritor.

Mas, enquanto o futuro não chega, o que ele quer mesmo é sair vivo dessa.

DELÍRIO TROPICAL

Hoje me lembrei de uma canção do Adoniran Barbosa em que um servente de pedreiro propunha ao outro: "Vamos almoçar sentados na beira da calçada, falar sobre isso e aquilo, coisas que nós não entende nada". Senti saudade, não de almoçar com algum amigo, ou sentar no meio-fio da minha rua, mas de conversar com alguém que não entende nada.

Tenho ficado cada vez mais inibido e juro que não foi sempre assim. Eu costumava ser (ou pelo menos pensava que era) um sujeito expansivo, espirituoso... Um chato mesmo, que metia minha colher em qualquer assunto, sem medo de falar besteira. Mas de uns tempos pra cá venho percebendo que as pessoas, em geral, estão entendendo tudo sobre muita coisa e sobrou pouco espaço para manobra. Era justamente naquela área cinzenta onde as dúvidas começavam que eu gostava de atuar. É ali — nesse lusco-fusco — que entram as piadas, os comentários maliciosos, o deboche...

A onisciência começou nas redes sociais, invadiu as rodas de conversa; e agora que não há mais rodas de conversa, voltou para as redes sociais com ímpeto redobrado. E não existe graça na onisciência, o palhaço Adoniran sabia disso. O velho Borges, que pouco enxergava, também soube. Seu personagem — "Funes, o memorioso" — se lembrava de tudo, sabia de tudo, por isso não conseguia criar, não sobrava espaço. Outro que sabia da importância dos lapsos era o poeta Leonard Cohen: "Existe uma rachadura em tudo, é assim que a luz entra".

Sinto falta da época em que as conversas eram supérfluas e podíamos jogá-las fora sem que fôssemos recriminados, mas hoje elas são itens de primeira necessidade. As pessoas brigam por uma conversa, tem gente que morre por elas. Basta uma frase mal formulada, fora de contexto ou mesmo infeliz (a infelicidade tornou-se inaceitável) para se decretar a sordidez de algum indivíduo. Que me cancele primeiro aquele que nunca foi sórdido, nem que o fosse só da boca pra fora.

Desculpem-me, não quis ofender ninguém; essa última frase saiu meio que no impulso e tenho certeza de que aqui nenhum leitor é, ou jamais foi, sórdido. Então, por favor, não me cancelem. Sou como qualquer um e necessito da aprovação alheia. Quem não deseja se sentir querido? Eu já passei bem perto de ser cancelado uma vez e garanto que a sensação é bastante desconfortável. Posso contar essa história para que os leitores aprendam com meus erros e se poupem de aborrecimentos.

O mês era julho; a cidade, não posso contar. Também vou trocar alguns nomes, pois me pediram sigilo. Eram os últimos dias de férias na faculdade e estávamos eu, Danilo e Gustavo tomando cerveja e jogando conversa fora (na época ainda era permitido) em uma cidade do interior de Minas. Não sei sobre o que falávamos, mas posso garantir que o assunto era interessante. Até aí tudo bem, o problema é que era domingo à noite... E se alguém nunca testemunhou um lockdown de verdade, é porque jamais tentou tomar uma cerveja no interior de Minas depois da última missa de domingo.

Bastou o derradeiro grupo de pessoas se dispersar na porta da igreja para o garçom trazer a saideira e a conta, não tivemos chance de argumentar. Um pouco depois já o ajudávamos a fechar as portas do estabelecimento e ele, talvez sensibilizado pela nossa juventude, resolveu nos dar a dica de um bar que ficava "lá na rodovia, perto do trevo, antes de chegar no posto de gasolina", e que talvez pudesse estar aberto.

Partimos em busca do local e exatamente "depois do trevo, antes de chegar no posto de gasolina", avistamos o letreiro iluminado onde estava escrito "Delírio Tropical". Um bom nome, por sinal. Quando entramos, percebemos que não havia mais clientes no local, mas o dono prontamente nos ofereceu uma mesa e disse que poderíamos ficar enquanto ele fechava o caixa e limpava a cozinha. O lugar era apertado e escuro; as paredes, ainda no reboco, eram enfeitadas por pôsteres de modelos e atrizes da Globo em trajes sumários ou mesmo sem trajes. Havia algumas mesas dispostas em frente a um pequeno palco onde poucas luzes coloridas ainda piscavam, apesar do domingo. No canto à direita, ficava uma jukebox que tocava sucessos que comoviam nossos corações sensibilizados pelo álcool. Era sem dúvida um bom lugar.

A cereja daquele bolo foi a moça que saiu cambaleante da cozinha, vestindo uma saia de courino preta e um bustiê verde-limão. O cabelo estava desarrumado e a maquiagem borrada. Sem reparos. Quando nos viu, logo se ofereceu para sentar à nossa mesa. Gustavo puxou a cadeira e Danilo ofereceu um copo de cerveja; pelo hálito (e a conversa enrolada), percebi que aquele não era o primeiro da noite. Nossa amizade foi instantânea, tanto que ela nos ofereceu um "show particular" sem que ao menos soubéssemos seu nome. Argumentamos que estávamos sem dinheiro, que ela não se incomodasse — "Viemos só pra beber" —, mas a moça estava decidida e disse que seria cortesia da casa.

Quando o dono veio nos avisar que fecharia em alguns instantes, nossa amiga lhe informou que havia nos prometido uma apresentação. O empresário prontamente disse que não, que o expediente tinha se encerrado e não haveria chance de outro show acontecer naquela noite. A dama ficou furiosa e, quanto mais a víamos argumentando, mais nos sentíamos lisonjeados por tanto empenho. O fato é que acabamos nos juntando a ela para pedir ao empresário que nos liberasse aquele último espetáculo, mas ele se manteve irredutível.

No meio da polêmica, quando já estávamos, os cinco, espremidos dentro da cozinha, cada um com sua argumentação, a moça se cansou de tanto falatório, puxou uma faca da gaveta e, já sem distinguir quem era dono ou cliente, gritou:

— Eu vou fazer esse show de qualquer jeito!

Danilo ficou mudo; eu e Gustavo tentávamos explicar que queríamos o número, quem não queria era aquele senhor (mostrávamos o dedo pra ele), mas ela já não distinguia quem era o inimigo e apontava sua lâmina para o nariz de qualquer um que tentasse abrir a boca. Não sei quanto tempo durou aquele inferno, mas depois de alguns minutos estávamos sentados em frente ao palco, com as pernas trêmulas, enquanto o proprietário pegava o microfone para anunciar:

— Agora, com vocês, Márcia, a mata mais cabeluda do Alto Paranaíba!

Definitivamente uma frase de mau gosto. Mas como cancelar aquele empresário que nos havia recebido tão bem em seu estabelecimento? Como não perdoar a Márcia, que, depois de quase ter nos cancelado na cozinha, estava agora naquele palco, dando tudo de si, ao som de *Deslizes*? Por que tratar os outros com tanto rigor e nos oferecer tanta condescendência?

Aquela noite me ensinou que não conseguimos nos esquecer dos deslizes; quando eles vêm de outras bocas.

AS LIVES DA TERESA CRISTINA

Ontem assisti a uma discussão sobre o futuro da arte; os debatedores falavam de sua importância e ressaltavam seu caráter sagrado, transformador.

Pra ser sincero, não é a arte que me preocupa; são os artistas. Os livros sobreviveram às fogueiras; os discos, aos riscos; e as pinturas, às demãos de tinta; os artistas nem sempre. Pra quem gosta das coisas bem explicadas: as obras, algumas, ultrapassam o tempo, os artistas, todos, são engolidos por ele.

É que gente precisa comer, fazer xixi, amar, sonhar... E, mesmo fazendo tudo isso direitinho, um dia morre. Mas o artista, mesmo o das obras que não morrem, além de comer, fazer xixi, amar, sonhar... precisa criar, e a criação não se completa sem que alguém a conheça. Escrevo essas obviedades todas não só para esticar a crônica (que estava pequena), mas principalmente para reforçar que a questão não é só o dinheiro, até porque muitos já não o ganhavam.

É preciso espaço. E não basta só espaço, é preciso que artista e público tenham disponíveis os meios para se encontrarem nos novos espaços, sejam eles virtuais ou não. Como criá-los, não sei, mas imagino que seja pra isso que existam as secretarias de cultura.

Não dá pra ficar esperando que todos os dias surjam novas lives da Teresa Cristina, que se tornaram verdadeiros eventos. Tem gente que passa o dia esperando a hora de dar uma passadinha por lá. A sambista, além de ser uma cantora de gogó cheio, se inventou uma tremenda hostess virtual, daquelas que dominam como ninguém a arte de fazer com que seus convidados não se sintam em casa. Pelo contrário, durante a live, os "cristiners" se imaginam bem longe dela, tomando cerveja gelada em um bar quente e cheio. Uma espécie de filial digital do velho Sementes.

Qual o segredo do sucesso da Teresa? Se eu soubesse, a live do Alexandre já seria um sucesso também. Mas desconfio de que além de se tratar de uma artista competente, tem a ver com intimidade. Ela abriu sua casa, nos apresentou sua mãe, seus medos, seu riso fácil, suas dúvidas... compartilhou sua história. Em suas lives, abriu mão de ser somente uma cantora e tornou-se uma cúmplice; foi assim que ela conseguiu o espaço pra continuar mostrando seu trabalho.

O problema é que essa receita não é fácil de reproduzir, e muitos artistas que perderam seu palco continuam no limbo. A história da arte é recheada de gente que não conseguiu ocupar em vida o lugar que lhes cabia; mas não é de Van Gogh ou — pra não ir muito longe, e sem querer compará-los — de Sérgio Sampaio que eu falo. Quem me vem à cabeça agora é o Evandro Mi Bemol, exímio violonista e cantor, que costumava tocar em bares e churrascarias espalhados por todo o sul de Minas. Foi Evandro quem me disse um dia: "Alexandre, se você um dia quiser se apresentar em bares, nunca comece tocando alto para chamar a atenção. As pessoas irão levantar a voz e ninguém vai te escutar. Comece com uma música bem calma, cantando baixinho, que aí sim eles te notam". Jamais esquecerei.

Era comovente vê-lo em ação, um artista sensível como só os artistas podem ser. Ele sabia exatamente o que tocar pra instigar os clientes. Se um casal brigasse, ele mandava um Djavan; se um grupo se animava, era a vez do Tim Maia. Dificilmente a noite chegava ao fim sem que todas as pessoas estivessem cantando em coro com o músico. Quando isso não acontecia, Evandro também não se abalava: "Foi só uma noite de um dia ruim".

Eu me pergunto o que tem sido de Evandro Mi Bemol, dos atores de teatro, dos técnicos de som, iluminadores, contrarregras e todas essas pessoas que necessitam viver de (e para a) arte. É preciso cuidar deles.

Que se dane a arte, sua importância, sacralidade... Ela sempre se virou muito bem sozinha e com certeza chegará inteira ao final desta loucura. Mas, por favor, cuidem dos artistas.

Nada é sagrado, exceto o coração das pessoas sensíveis; com ele não se brinca.

AS OUTRAS DOENÇAS DA PANDEMIA

Onde dói?

Foi a pergunta que o velho clínico geral (ainda se acostumando com aquele negócio de telemedicina) fez a seu paciente, imaginando que não poderia ser mais objetivo. A resposta que se seguiu não foi muito animadora:

— Dói tudo.

Esse tipo de queixa geralmente faz o médico se ajeitar na cadeira em busca de uma posição mais confortável; a consulta seria longa. O enfermo prosseguiu:

— Dói aqui na região frontal da cabeça e atrás dos olhos, principalmente quando eu uso o celular, que é só o que eu sei fazer ultimamente. Depois a dor prossegue para o tampo, escorre para as têmporas e finalmente vai parar lá na parte de trás, no cocuruto. Ela às vezes pulsa, mas em outras arde. Tem alguns dias que acho que minha cabeça vai explodir feito um balão, tipo aqueles de festa. Aliás, este ano não pude dar o presente de aniversário que meu filho queria porque não tive dinheiro. Faz três meses que eu perdi o emprego e as coisas apertaram aqui em casa. Também não lhe dei uma festa, mas pelo menos pra isso eu tive uma desculpa. Coitado do menino... O difícil nessa história toda é não poder fazer planos. Sonhar todo mundo sonha, mas fazer planos é diferente. É como se o sonho fosse uma espécie de elogio à nossa musa; já os planos são um afago, mesmo quando não os colocamos em prática.

— Tenho também uma dor insuportável no corpo. Ela começa aqui em cima no pescoço, logo abaixo do local onde termina a dor de cabeça, e segue pela espinha até a bunda; lá ela se divide em duas e desce pelas pernas pra depois se espalhar pelas plantas dos pés. Quando eu acho que vai parar por aí, ela toma um impulso e salta para o peito. Parece que estacionaram uma caminhonete em cima dele. É um aperto tão grande que mal consigo respirar, me sinto sufocado. Dá uma vontade de sair correndo, mas não tenho pra onde ir; meus filhos precisam de mim, minha esposa precisa de mim, eu careço da minha esposa, os meninos a solicitam e, por fim, nós dois também demandamos as pobres crianças o tempo inteiro. Talvez o que a gente precise mesmo é de um pouco de espaço; coisa difícil de encontrar num apartamento de dois quartos.

 O médico continuava imóvel, olhando fixamente para a tela do computador, como se não quisesse perder uma única palavra daquela história sem fim. Só preciso deixar claro que escrevo uma crônica, não um romance, por isso tomei a liberdade de resumir as queixas do paciente ao que imagino que seja básico, mas sem prejudicar o contexto. Quero que o leitor também possa se sentir estimulado a emitir seu diagnóstico. O paciente prosseguia:

 — A garganta também dói, fico com a impressão de que tenho algo entalado; basta eu começar a ver as notícias e ela parece que dá um nó. A comida não desce; acabei perdendo o paladar e as coisas que antes me apeteciam agora não fedem nem cheiram. Venho sentindo algo como uma febre me queimando por dentro; acordo à noite todo molhado de suor, preocupado com meus pais que já estão velhos, com minha irmã que é asmática, com meu primo que é gordo, com meu sogro que é cardíaco e com meu ex-patrão que é ruim que só ele e dificilmente vai morrer desse troço, vaso ruim não quebra. Sujeitinho pernóstico... Fora a preocupação que tenho comigo mesmo. Doutor, acho que eu estou ficando broxa. Sabe aquela ereção eficiente e duradoura? Não posso mais ter as duas opções. Pra falar a verdade, quando consigo uma delas já me sinto um John Holmes. Na hora H sempre me vem alguma imagem inadequada à cabeça e bota tudo abaixo: já fui assombrado por pessoas venerando caixas de cloroquina; pelas fórmulas matemáticas que meu filho aprende naquelas aulas on-line; pelo bigode do Merval Pereira... Como conseguir eficiência e durabilidade assim? O senhor pode perceber que meu quadro é grave. Quem sabe eu não deveria começar a tomar algum vermífugo? Mal não vai fazer. Além do mais, tenho comido tanta bobagem nesta quarentena, pedindo comida pelo aplicativo em qualquer biboca que aparece; não me assustaria se estivesse infestado de parasitas. Talvez por isso meu estômago doa tanto também. Sem falar na confusão que se tornou o funcionamento do meu intestino...

Naquele momento a tela do médico faz um rápido movimento entrecortado e ele finalmente fala:

— O senhor queira me desculpar, mas é que a transmissão caiu e eu perdi boa parte da sua explicação. Que tal começarmos de novo pela parte em que a dor de cabeça chegava lá atrás, na região do cocuruto?

A PARTE PELO TODO

Dizem que existe um algoritmo na internet (algoritmo é uma daquelas palavras que a gente sabe o que significa, mas não consegue explicar) que faz um determinado assunto aparecer pra nós, como um velho conhecido que encontramos na rua e não podemos ignorar. Acho que foi por isso que me deparei com a campanha #todoscontrafelipeneto. Aquilo me chamou a atenção porque sempre achei que a palavra "todos", assim, sozinha, se referia a muita gente. Todos quem? Todas as pessoas que gostam de pizza com a borda recheada de catupiry? Ou todos aqueles que um dia já confundiram o Jorge Vercillo com o Djavan?

Depois descobri que eram todas as pessoas que não gostam que o Felipe Neto fale mal do governo. Confesso que me surpreendi com o número de indivíduos, talvez alguns milhares, se contarmos os robôs (robô de internet é outra expressão que eu não sei explicar, mas sei que eles existem, e o pior é que tem gente que discute com eles). São coisas como essas que nos fazem sentir ultrapassados, não os robôs, mas o fato de haver pessoas que não falam mal do governo.

Meu *ethos* (não me pergunte o que significa) foi formado em uma época em que falar mal do governo era como falar do tempo. Não que eu defenda a lógica de que "si hay gobierno, soy contra"; apenas sou contra os governos que existem. Como confiar em uma pessoa que de repente descobre o que é bom pra mim? E o pior, não satisfeita com a descoberta, ela resolve se juntar a outras pessoas que também sabem do que eu preciso pra viver melhor. É algo que nunca fez muito sentido pra mim. Talvez seja por isso que meu pai sempre dizia: "Filho, evite frequentar grupos que não estejam bebendo cerveja ou assistindo futebol". Um sábio.

Voltando a todos contra o Felipe Neto; não quero criticá-los, até porque não pretendo estimular um #todoscontraoalexandreazevedo, mas não acho salutar que vocês cometam o erro de tomar a parte pelo todo. Fica meio pretensioso. Eu entendo que esta pandemia mexeu com nossa autoestima, mas não sei se ajuda fingirmos ser o que não somos. Melhor seria se aceitássemos que não somos tantos assim, e também não somos tão importantes assim. "Não há nada que você faça que não possa ser feito". Percebam que foi um Beatle quem disse isso.

Tudo bem, eu sei que vocês são muitos, mas não são todos. Assim como o Felipe Neto tem milhões de seguidores e outros milhões de reais na sua conta bancária, mas nunca foi um Beatle. E eu também não, infelizmente. Precisamos nos conformar que não podemos ser o que não somos. Somos alguns contra o Felipe Neto, outros a favor; existem mais uns tantos que jamais saberão quem são vocês, ou o que é um digital influencer (eu sei, mas não sei explicar).

Proponho a hashtag #algunscontraalgumasopiniõesdoFelipeNeto. Ela nunca será um *trending topic*, mas é muito mais correta — óbvio que me dirijo àqueles que ainda preferem ser corretos. Até porque não podemos reduzir o youtuber às suas opiniões; elas são parte dele, não o todo.

Mas, por favor, não me levem a mal, não estou aqui pra usar minha "liberdade de expressão" pra atacar a "liberdade de expressão" de algumas pessoas que querem criticar a "liberdade de expressão" do Felipe Neto.

Eu queria mesmo era comprar um tênis. Um abraço a todos!

DIA DOS PAIS

— Está tudo preparado, João? Este ano precisamos fazer uma homenagem bem bonita a todos os pais da congregação. Não pode faltar ninguém. Você conseguiu a lista com os nomes?

— Consegui, pastor. Estão todos aqui. Inclusive alguns que eu gostaria de discutir com o senhor: um dos homenageados é o Arnaldo Doideira, cachaceiro incorrigível, que frequenta os cultos de vez em quando e depois some por meses. Sua família vive num aperto danado; tanto que o filho mais velho teve que sair da escola pra ajudar sua mãe em casa. Será que esse sujeito merece uma homenagem?

— Mais um motivo... Quem sabe assim ele não volta com mais frequência? É a tal da fidelização do cliente.

— Tem ainda o Jurandir, que, mesmo sabendo que estava doente, desobedeceu às recomendações e fez um churrasco em sua casa. Uma semana depois apareceram mais de quinze infectados entre aqueles que estiveram presentes. Um deles está internado até hoje e não encontrará seus filhos no Dia dos Pais.

— Ele obrigou alguém a ir? A Bíblia fala do livre-arbítrio; cada um tem responsabilidade por seus atos, inclusive o Jurandir, que nos ajuda muito aqui com seus serviços de eletricista.

— Outro que está na lista é o Chico Serrote, que pegou dinheiro emprestado com sua filha e cismou de não devolver. Ele diz que já teve muito trabalho com ela na infância; que por várias vezes levou a menina, que era asmática, ao hospital de madrugada e era a hora dela retribuir. Agora a coitada não consegue pagar o aluguel do seu salão de beleza e vai ter de entregar o imóvel.

— Pode separar uma lembrança pra ele também. Só tome cuidado pra nunca emprestar dinheiro a esse sujeito. Daqui ele só leva uma palavra de fé e esperança, nada mais.

— O Ataíde também é outro que eu não sei se deveria estar na lista. Veja o senhor o que aconteceu: o traste perdeu o emprego semana passada e chegou em casa fulo da vida; quando a esposa resolveu perguntar o que tinha acontecido, ele a encheu de porrada, mais uma vez; só que agora na frente do filho de oito anos, que acabou apanhando também. Os dois foram parar no hospital e depois da alta fugiram pra casa da avó que mora em outra cidade. Acho que agora não voltam mais.

— Todo mundo merece uma segunda chance, João, nem que seja pela décima quinta vez. Quem sabe agora ele aprende. E não se esqueça de entrar em contato com a esposa pra convencê-la a voltar. Não podemos perder fiéis, ainda mais nesta crise.

— O Hermínio é outro que eu acho dispensável. Ele nem queria ser pai. Acabou tendo uma filha lá pros lados do sul de Minas depois de violentar uma moça em uma festa junina. Acabou fugindo de lá pra nunca mais voltar. Acho que nem sabe o nome da criança...

— Se ele recebeu essa bênção de Deus, não seremos nós que iremos tomá-la. É pai e pronto. Tem mais alguém que você queira censurar?

— Não, senhor, o último aqui da lista é o Simone, que é novo na congregação e se tornou pai recentemente. Parece que está indo muito bem. Ajuda a trocar as fraldas, dá banho, papinha, bota pra dormir... É pai pra toda obra. Até se ofereceu pra organizar um curso aqui na igreja.

— Simone... Que nome estranho... Ele é italiano?

— Não, ele é trans. Nasceu mulher, mas sempre quis ser homem. Ele disse que nunca se identificou com o universo feminino e desde pequeno gostava mesmo era de jogar bola com os garotos. Por insistência dos pais, até tentou se adequar, mas viu que estava infeliz. Foi então que resolveu tomar hormônios, se submeter a algumas cirurgias e pronto! Se tornou o homem que sempre quis ser. Agora virou pai também, e dos bons. Só não conseguiu a autorização pra trocar seu nome ainda.

— Esse aí vamos ter que tirar. Se nasceu mulher e resolveu ser trans, pode no máximo se tornar mãe, pai jamais. Não receberá homenagem aqui de maneira alguma.

— Mas, pastor, ele é um pai muito melhor que esses outros aí que o senhor autorizou que participassem da comemoração.

— João, você um dia será o meu sucessor e é fundamental que esta lição fique gravada pra sempre em sua cabeça: o Simone, como qualquer outra pessoa no planeta, tem o direito de ser mulher, homem, trans, gay, negro, índio, pai... Não importa. O que eles não podem de jeito nenhum é superar a miséria humana; e foi justamente o que esse rapaz fez. A matéria-prima do nosso negócio é a miséria humana. É por intermédio dela, e do medo, que se forjam os líderes. Agora corra e mande dizer ao Simone que, se ele tirar a cueca, deixar o cabelo crescer e vestir uma saia, no ano que vem ele receberá um batom da Natura no Dia das Mães.

QUE FASE!

Quem estudou a História do Brasil sabe que o país já passou por muita confusão e que aqui tudo é possível. Mas hoje em dia, até o professor Gonzaga (que me ensinou a matéria nos tempos de cursinho e talvez ainda esteja por lá, amaldiçoando a reforma da Previdência) deve estar com a pulga atrás da orelha. Já sofremos com epidemias, crises econômicas, governantes malucos, governantes corruptos, governantes malucos e corruptos, falta de educação... Quem estudou direitinho sabe, inclusive, que não é a primeira vez que sofremos com a polarização da sociedade, ou melhor, da classe média, pois os pobres não têm tempo pra esse tipo de luxo e os ricos conhecem bem o que é luxo de verdade.

A peculiaridade do momento é ver tudo isso acontecendo ao mesmo tempo. Como diria aquele narrador: "Que fase!". O pior é que se fosse só uma fase ainda estava bom, mas são várias fases misturadas. Explicando melhor: nossos mandatários decidiram que a vida voltaria ao normal em etapas. O governador estipulou as suas e as classificou em A, B, C e D. O prefeito determinou outras e as chamou de um, dois, três e quatro. Outro prefeito, de uma cidade vizinha, preferiu usar algarismos romanos. E o presidente... Bom, o presidente só adotou uma fase: a do salve-se quem puder.

Com tanta informação, fica difícil saber o que fazer. Minha tia Jacira, por exemplo, mora justamente na divisa entre duas cidades; se fosse Juazeiro ou Petrolina, que têm o Rio São Francisco as dividindo, seria menos confuso, mas o que separa minha tia — que mora em uma cidade que está na fase A — da sua vizinha — que está na fase III e agora voltou a frequentar a academia — é uma rua. Veja bem, eu não disse uma rodovia, ou uma avenida. É uma rua estreita de mão única. Nas noites de calor, quando ainda era permitido, as duas colocavam suas cadeiras na calçada, cada uma do seu lado, e conversavam até a hora da novela.

Graças a essa bagunça, fiquei numa tremenda saia justa quando a irmã de meu pai me perguntou, ao telefone, se poderia voltar a frequentar as aulas de hidroginástica com sua amiga. "Já não aguento mais ficar enfurnada dentro de casa sozinha", ela lamentava. Pra não me comprometer com algum conselho intempestivo, prometi que iria me certificar da situação sanitária da região e depois daria meu palpite. Por coincidência, eu conhecia uma pessoa que trabalhava no hospital da cidade em que minha tia morava e que poderia me ajudar a entender o que estava acontecendo por lá.

Depois de uma rápida pesquisa no Google, percebi que havia me comprometido com uma tarefa que não seria simples. Descobri que o município da tia Jacira se encontrava não na fase A, como ela havia me dito, mas no estágio vermelho — quando só os serviços essenciais, como farmácias e supermercados, podem abrir. O motivo era que 100% dos leitos de UTI estavam ocupados e o prefeito estipulara que era esse o critério para se decretar o grau máximo de restrição. Com 75% de ocupação, eles poderiam evoluir para a fase laranja (um pouco mais permissiva); se a taxa caísse para 50%, seria a fase amarela, e, finalmente, com 25% de ocupação ou menos, seria a vez da fase verde, quando não haveria mais restrições.

Um protocolo de abertura engenhoso, não fosse por um problema: a cidade só dispunha de um leito de UTI. Quebrei a cabeça imaginando alguma maneira de acontecerem as fases laranja e amarela, mas nunca fui muito bom em matemática. Percebi que com aquele prefeito era tudo ou nada, sujeito decidido.

Um pouco depois de encerrar meus cálculos, o amigo do hospital respondeu à mensagem que eu havia lhe enviado, me contando que o paciente da UTI tinha melhorado e sua alta estava programada para a próxima sexta-feira.

Naquela mesma noite retornei a ligação para dar a boa notícia:

— Tia, pode ir se preparando porque no sábado, depois da hidroginástica, o pessoal da família que mora aí na região já combinou um churrasco na sua casa com direito a roda de samba e tudo! Só não vai dar pra chamar a vizinha da frente; na cidade dela, churrascos só são permitidos a partir da fase IV.

NENHUMA PÁTRIA
ME PARIU

Geraldo Pereira, o mais carioca dos sambistas, era mineiro como Milton Nascimento, que por sua vez é carioca igual ao Geraldo Pereira. O sambista largou sua terra natal, Juiz de Fora, pra ir morar no Rio de Janeiro, onde morreu — dizem que assassinado por Madame Satã, que era pernambucano. Já o autor de *Ponta de Areia* saiu do Rio e, depois de perambular por aí, agora vive em Juiz de Fora. Um toma lá dá cá capaz de deixar qualquer deputado do centrão morrendo de inveja. Só que nesse caso ninguém saiu perdendo; pelo contrário, Rio e Minas ganharam dois de seus maiores inventores. As montanhas mineiras e os morros cariocas teriam outros contornos não fosse por eles.

Milton Nascimento é tão carioca quanto Geraldo Pereira é mineiro. Importa pouco de onde eles vieram, pra onde foram, ou se eles percorreram caminhos trocados. Quando o personagem do samba do Geraldo pisa num despacho, mesmo que a música não diga o local, fica muito claro que ele não subia distraído a Rua da Bahia; assim como jamais poderíamos pensar que a esquina cantada por Milton seria o cruzamento da avenida Rio Branco com a rua do Ouvidor.

E temos muitos outros exemplos: a canção que mais gosto sobre Belo Horizonte foi feita por um baiano da banda Maglore; um dos grandes romances da língua inglesa foi escrito pelo russo Nabokov; dentre todos os pintores da Bahia de Todos os Santos, o mais baiano era Carybé, um argentino.

Existe ainda uma disputa peculiar a respeito do local de nascimento de um dos cantores mais conhecidos do século passado. Os franceses dizem que Carlos Gardel nasceu em Toulon, enquanto os uruguaios garantem que foi em Tacuarembó; ainda assim Gardel continua sendo tão argentino quanto Maradona.

Quem se importa de onde vêm os artistas?

O que realmente importa na vida do artista é com quem sua obra conversa e qual história ela conta. Se o que ele produz é verdadeiramente bom (claro que é preciso um pouco de sorte também), seu trabalho se mistura à paisagem local; ele a conta, mas é também contado por ela.

Mas por que é que eu fiquei pensando nessas coisas todas? Explico: porque agora começou uma disputa pela paternidade da primeira vacina, aquela que finalmente nos livrará desta encrenca monstruosa em que nos metemos. Os ingleses, chineses e americanos estavam se destacando no pelotão de frente, quando esta semana o russo atropelou todo mundo e anunciou que será o primeiro nessa corrida.

A mim pouco importa se a vacina será argentina, paraguaia, coreana ou senegalesa; aceito a que tiver, sem a menor cerimônia.

Se pudermos pular o Carnaval do ano que vem, ela será brasileira. Tão brasileira quanto as bandeirinhas de São João pintadas pelo italiano Volpi.

A IMPORTÂNCIA DE SER ERNESTO

O livro já está quase no fim (apesar de a pandemia não dar sinal de arrego) e ainda não toquei num tema delicado que é sempre difícil abordar, pois causa grande comoção e geralmente desemboca em discussões acaloradas: a criminalidade. É um daqueles assuntos traiçoeiros, como a música de Ernesto Nazareth; parece simples, mas... Não vou me render a rimas fáceis. Entre o "tem-que-matar-todo-mundo!" e o "vou-vestir-uma-camisa-branca-e-ir-soltar-pombas-na-praça", temos de percorrer quilômetros de ruas desertas e mal iluminadas para, no fim, chegarmos ao mesmo lugar, ou a lugar nenhum.

Como o negócio da vez é dar palpite em tudo, aqui vai o meu: precisamos de mais escolas de música, milhares delas! As pessoas deveriam aprender música, nem que fosse só pra escutá-la. Se transformássemos os brasileiros todos em projetos de Ernesto Nazareth, certamente teríamos algumas dezenas de milhões de frustrados, mas nenhum malfeitor. Essa é a importância de ser (ou pelo menos de tentar ser) Ernesto: enquanto tentamos, não há espaço para sermos outra coisa além de belos, complexos e, ainda assim, leves. O paraíso deve ser desse jeito.

O compositor carioca nasceu no morro do Pinto; seu pai trabalhava no porto enquanto sua mãe cuidava da casa e, nas horas vagas, tocava piano para os filhos. Ao perceber que o garoto levava jeito, começou a lhe ensinar as primeiras lições no instrumento, coisa que não durou muito tempo, pois o menino logo se tornaria órfão de mãe. Nessa mesma época, ele perderia parte da audição ao cair de uma árvore; o acidente estourou seu tímpano e lhe rendeu um zumbido que o acompanharia pelo resto da vida. Junte-se a isso o desprezo do pai pela carreira de músico e o desastre estaria completo, se o rapaz não fosse Ernesto. O final dessa história pode ser épico, ou trágico.

O épico dá pra resumir: basta dizer que, hoje, quando um músico brasileiro se torna importante, mas importante mesmo, ele recebe o prêmio Ernesto Nazareth.

Já o trágico foi assim: depois de compor *Odeon*, *Brejeiro*, *Apanhei--te Cavaquinho* e mais um monte de músicas, cada uma mais bonita do que a outra, o pianista começou a apresentar mudanças repentinas de humor. No início pensaram que ele andava irritado com a piora da surdez (e do zumbido). "Coisa de artista", diziam. Mas depois veio o diagnóstico: neurossífilis. O músico foi internado em um manicômio, de onde acabou fugindo quase um ano depois, no dia do aniversário do seu filho, mas não conseguiu abraçá-lo. Seu corpo foi encontrado na manhã seguinte boiando em uma represa da região — era um domingo de carnaval.

Como eu iniciei falando sobre criminalidade e depois tentei fugir do assunto (detesto polêmicas), sei que o leitor mais insistente vai aproveitar esse enredo pra argumentar: "Tá aí mais um exemplo de que vida difícil não serve de desculpa pra bandido". E um outro acabará retrucando: "Cada pessoa reage de um jeito e muita gente pode se perder no meio do caminho se não tiver assistência". Discutir se uma vida penosa pode ou não servir de atenuante para algum mal feito é algo que sempre dá pano pra manga.

O que não se discute é como alguém que jamais passou por um perrengue, sempre teve vida de bacana, nunca pegou ônibus lotado, estudou em escola particular pra entrar na universidade pública (e saiu de lá empregado) e antes dos primeiros cabelos brancos já tinha carro, apartamento e casa na praia, consegue ser cretino a ponto de roubar o dinheiro da compra dos respiradores.

Esse sim é bandido por vocação. Não há mãe viva, audição impecável ou apoio paterno que desvie um sujeito desses de seu caminho.

A NATUREZA DAS COISAS

Estamos em guerra contra um inimigo invisível. Perdi a conta de quantas vezes escutei essa frase. Seria mais simples (e correto) dizer: estamos em guerra. Brigamos nos estádios de futebol, no trânsito, nos grupos de WhatsApp. Espancamos moradores de rua, travestis, esposas. Matamos e morremos por religião, por um pedaço de terra, qualquer desculpa serve. Pra se ter uma ideia, vivo em pé de guerra com um amigo simplesmente porque ele é Beatles e eu, Rolling Stones.

O conflito faz parte da natureza das coisas, foi assim que o mundo se fez; foi assim que nos fizemos. Mas chega uma hora que cansa. Há questões que poderiam ser enfrentadas sem o embate, como esta pandemia. Não precisamos declarar guerra a um vírus que sequer desconfia da nossa existência; um bicho ignóbil que aos poucos vai destruindo o lugar onde habita, mesmo que isso signifique seu próprio fim. Pode existir algo mais estúpido?

Talvez o que aconteceu em uma cidade do interior de Minas neste final de semana.

O dono do bar, depois de meses sofrendo com seu estabelecimento fechado, finalmente conseguiu permissão para reabrir. Gelou sua cerveja, desempilhou as cadeiras, tirou a poeira do balcão, fritou as coxinhas, o torresmo, e levantou as portas.

O cliente, depois de meses trancado dentro de casa, tomou seu banho, uma dose de cachaça (pra chegar já no jeito), um sermão da esposa, e seguiu firme para o Carlos's.

Foi uma festa: amigos-sinuca-cerveja-cachaça-sofrência... Tudo muito; como transa depois de briga.

Seu Carlos's, me dá uma coxinha. Toma, é três reais. Só pago dois e cinquenta, olha o tamaninho da bicha. Ou paga três ou devolve! Vem tomar, safado!

No disse me disse, o dono do estabelecimento pegou um porrete, o cliente tirou a faca e em questão de segundos o problema já estava resolvido, com o proprietário estirado no chão e o cliente fugindo em sua moto. O dia seguinte amanheceu com as portas do bar fechadas e o cliente novamente entocado, escondido da polícia.

Não há o que jamais tenha sido. É da natureza das coisas.

Sem querer arrumar confusão com meu amigo beatlemaníaco, mas foram os garotos malvados que sintetizaram o problema.

Para a guerra, crianças, basta uma coxinha.

HOSPITAL DE CAMPANHA

À s vezes, quando eu ficava quieto num canto, sem fazer nada, minha mãe dizia que eu estava pensando na morte da bezerra. Hoje (muitos anos depois) estou aqui, imóvel a maior parte do tempo, ainda pensando na morte: neste caso a minha — e confesso que é muito pior do que ficar divagando sobre a morte de outros bichos. Chego a sentir raiva quando imagino, em meu velório, algumas pessoas sofrendo muito com a minha extinção, enquanto outras (que estariam sofrendo um pouco menos) diziam para reconfortá-las: "Ele descansou" ou "Ele partiu desta para melhor". Não, amigos, eu não estava cansado, muito menos partiria desta para qualquer outro lugar sem que fosse obrigado.

Ficar internado todo este tempo em uma cabine apertada, sem direito a receber visitas, interagindo somente com os médicos e enfermeiros que de vez em quando aparecem, é a materialização do purgatório. Pelo menos nos deixam usar o telefone uma parte do dia, não muito, porque precisamos descansar. Falo no plural porque com o Arnaldo, paciente que está internado no leito vizinho, também é assim. Ele já estava aqui quando cheguei, há pouco mais de duas semanas, mas até hoje não vi seu rosto, só conheço seu nome (e suas histórias), pois estamos separados apenas por um biombo; uma fina placa de compensado que me impossibilita enxergar o que acontece ao lado, mas permite que eu escute até os suspiros do meu companheiro de infortúnio.

Arnaldo, pelos meus cálculos, deve ter por volta de sessenta anos. Sua esposa se chama Bethânia, com quem não teve filhos. Sua única filha nasceu de seu primeiro casamento com a Esther; mulher que parece não gostar muito dele (imagino que foi por alguma traição). Arzinho, como Bebeta costuma lhe chamar (sei disso porque algumas conversas se dão pelo "viva-voz"), era — antes de adoecer — um homem da noite, mas não gostava de se empanturrar com cerveja, só duas ou três latinhas bastavam; o restante ele preenchia com uísque mesmo. Gosta também de arranhar seu violão, mas é na percussão que ele se garante. Inclusive, ele desconfia de que foi em uma roda de samba clandestina, no quintal do seu vizinho, que acabou ficando doente. "Logo eu, Bebeta, que sempre tive o maior cuidado? Não sento perto dos instrumentos de sopro e nem compartilho meu pandeiro…".

Quando as pessoas passam por situações como a nossa aqui neste hospital, não é só a ideia da finitude que nos visita. É inevitável que pensemos recorrentemente na "velha senhora", mas a vida também se apresenta insistentemente. Vira e mexe uma réstia de sol invade o quarto escuro da nossa memória e doura todo o aposento. Lembranças de experiências remotas, que julgávamos sem importância, de repente aparecem com uma riqueza de detalhes que impressionam. No último domingo, consegui me lembrar do número de telefone de um amigo de escola que eu não via há mais de trinta anos. Até semana passada, eu sequer lembraria que ele um dia tinha existido, mas agora recordo sua fisionomia, nome e telefone. Chego a sentir uma ponta de tristeza ao pensar que posso nunca mais rever meu querido amigo Rivaldo (final de telefone 7322).

Outro dia, percebi que o mesmo acontecia com meu vizinho. Ele contou pra sua mulher que havia se lembrado, "assim de supetão", da letra completa de uma música do Catulo da Paixão Cearense, compositor que seu pai costumava escutar quando Arnaldo ainda era criança. A canção falava sobre um poeta que havia sido desprezado por uma mulher muito bonita e, se me lembro bem, começava assim: "Tu podes bem guardar os dons da formosura, que o tempo, um dia, há de implacável trucidar". Arzinho cantou a música inteira ao telefone enquanto Bebeta suspirava. Ao final, quem perdeu o fôlego foi o boêmio, que precisou desligar o telefone em seguida.

A situação do meu colega parece mais grave que a minha; não é raro escutar o alarme de seu oxímetro apitando (até me internarem aqui, eu sequer desconfiava da existência desse aparelho). Penso que as noites bem vividas (mas maldormidas) estavam cobrando seu preço. Mas Arnaldo não se arrepende, pelo contrário; são aquelas lembranças que lhe dão resiliência. Ontem mesmo o escutei perguntando à Bethânia:

— Será que aquela roda de choro lá do Renascença já voltou? Diga ao Chico Bia pra ensaiar *Flor amorosa* com a turma. Essa é uma que quero cantar quando sair daqui.

Sua filha, Marina, também liga frequentemente e parece ser louca pelo pai. Ela ainda vive com a mãe, que não pode ver o ex-marido nem em fotografias; qualquer coisa de ruim que acontece é culpa do "traste", que é como ela gosta de chamá-lo.

— Você sabe que errei feio com sua mãe. Eu deveria ter contado antes, mas não tive coragem. Existe um espaço que fica entre saber o que se deve fazer e fazer o que se deve; é lá que mora a traição. Eu não gostava mais dela, Marina, e todo mundo sabe que eu não consigo viver sem paixão. Sabe aquela sensação de olhar pra alguém que nos transporta direto para o topo do Himalaia? É por isso que essa doença não me derruba, eu já me acostumei a viver com ar rarefeito.

Escuto o telefone do Arnaldo tocando. É Bethânia, a montanha mais alta, dizendo que está morrendo de saudade, que já não aguenta mais, que cabaria invadindo o hospital pra encontrá-lo… As frases de sempre. É comovente presenciar o amor desses dois, parecem um casal de adolescentes. Enquanto os namorados trocam seus carinhos, meu médico entra no quarto para dar a boa notícia. Ele diz que meu quadro havia melhorado bastante e, como meus exames estavam ótimos, eu poderia ser liberado.

— Em alguns minutos o pessoal da enfermagem vai passar aqui pra finalizar sua alta.

Uma sequência de imagens desconexas começa a passar pela minha cabeça de maneira frenética: minha esposa escovando os dentes dos meus filhos, os meninos empoleirados em nossa cama, meu velho (e agora novo) amigo Rivaldo almoçando com sua família, o doce de queijo que minha mãe comprava nas viagens para São Gonçalo, Michael Jackson fazendo o moonwalk, a luva da Ana Maria Braga, a receita do frango a quarenta alhos, a propaganda do Omo Dupla Ação, a Simony cantando *Ursinho Pimpão*, a embalagem do pó Royal e mais um montão de outras coisas que, juntas, não faziam o menor sentido — como a vida.

Penso no Arnaldo, romântico incorrigível — que simplesmente não aceita morrer de outra coisa que não seja amor —, e relembro a última estrofe da música que o ouvi cantar outro dia:

"Mas quando Deus fechar meus olhos sonhadores, serei lembrado pelos bardos trovadores que os versos meus hão de na lira em magos tons gemer e eu, morto embora, nas canções hei de viver."

Emocionado, pensei em entrar na cabine do vizinho pra me despedir (o que seria uma crueldade), mas acabei me contentando com as últimas palavras que pude escutar do casal:

— Desliga você.

— Não, desliga você.

Esta obra foi composta em Minion Pro 11 pt e impressa em
papel pólen soft 80 g/m² pela gráfica Meta.